Symboles sacrés

Quatre mille ans d'art des Amériques

Commissariat

Commissaire général : Evan Maurer, directeur du Minneapolis Institute of Arts
Commissaire-adjoint : Molly Hennen, conservateur-assistant, Minneapolis Institute of Arts, département des arts d'Afrique, d'Océanie et des Amériques

Scénographie : Didier Blin

Restauration des œuvres : Anne Liégey

À Montpellier
Commissariat : Michel Hilaire, Olivier Zéder
Secrétariat et organisation : Michèle Pineau, Christine Azra, Jeannne Brotini, Julien Gaudin
Administration : Martine Vanbiervliet
Documentation : Brigitte Sélignac
Communication : Anne Joubert, Isabelle Puechberty
Montage de l'exposition : Philippe André, Olivier Chassagne, Éric Collet, Wilfrid Monnier, Laurent Virazel
Action culturelle : Geneviève Martinez, Jean-Noël Roques, Ouafae Jmiai-Foldesi
Service photographique : Guillaume Assié

À Rouen
Commissariat : Laurent Salomé, Christine Germain
Administration : Sophie Laval, Pascale Lefebvre, Muriel Pareau
Service des publics : Xavière Perrin, Josette Leménager
Secrétariat : Anabel Hébert, Corine Sageot
Communication : Fanny Wirrmann-Camboulives
Régie des œuvres : Catherine Regnault
Documentation : Hélène Thomas
Équipe technique sous la direction de Joël Ponthieu, Didier Andrieux, Alain Chédeville et Claude Throude

À Lyon
Commissariat : Vincent Pomarède, Laurence Tilliard
Régisseur des prêts : Maryse Bertrand
Secrétariat : Carole Jambe, Brigitte Piacentino, Séverine Ristori, Marie Vicente
Administration et finances : Christiane Budaci, Régine Malaghrakis
Documentation : Laurence Berthon
Communication : Juliette Giraud, Siegfried Chevignon
Presse : Sylvaine Manuel, assistée de Alice Cullafroz
Service culturel : Sylvie Bouguet, Cécilia de Varine
Équipe technique : Christian Dufournel, Alain Auclair, Dominique Bachmann, Didier Iriartre, Georges Avril, Jean-Claude Castillo

À Rennes
Commissariat : Francis Ribemont, Valérie Lagier
Administration, secrétariat : Jeanne Chevalier, Joëlle Joubaire, Maryvonne Morin, Stéphanie Boutin
Régie des œuvres : Gaëlle Corbin
Communication : Marie-Chrystelle Henry-Louis, Marie-Christine Trégaro
Équipe technique : Patrice Chauvin assisté de Jean-Yves Henry, Denis Loiseau, Jean-Philippe Bernard
Action culturelle : Carole Houdayer, Caroline Froc, Andrée Chapalain

ISBN : 2-7118-4481-1
RMN : EK 39 4481

© Éditions de la Réunion des musées nationaux, Paris 2002
49, rue Étienne-Marcel, 75001 Paris

Symboles sacrés

Quatre mille ans d'art des Amériques

par Evan Maurer
et
Molly Hennen

Montpellier	Rouen	Lyon	Rennes
17 juillet	25 octobre 2002	20 février	28 mai
29 septembre 2002	13 janvier 2003	28 avril 2003	18 août 2003

Réunion
des Musées
Nationaux

Cette exposition est organisée sous l'égide de

French Regional & American Museums Exchange
www.on-frame.com
www.symbolessacres.com

Elle a été classée d'intérêt national par le Ministère de la Culture et de la Communication

FRAME bénéficie du soutien de la Foundation for French Museums, de The Florence Gould Foundation, de la Felix & Elizabeth Rohatyn Foundation, d'Alice Lobel, de Sophie et Jérôme Seydoux et de Barbara Walters.

Sara Lee Corporation, Vivendi Universal et Divento.com en sont les mécènes officiels.

bioMérieux et Cap Gemini Ernst & Young ont également apporté leur concours.

COMITÉ D'HONNEUR

Monsieur Raymond Barre Ancien Premier ministre

Madame Bernadette Chirac

PRÉSIDENCE

Francine Mariani-Ducray Directrice des musées de France,
Président du conseil d'administration de la Réunion des musées nationaux

COMITÉ CONSULTATIF

John Bryan Ancien Président-directeur général de Sara Lee Corporation

David Caméo Inspecteur général de la création et des enseignements artistiques

Michel David-Weill Président, Lazard Frères Banque ; président de la Foundation for French Museums

Constance Goodyear Trustee, Fine Arts Museums of San Francisco

Alain Mérieux Président-directeur général, bioMérieux

Félix G. Rohatyn Ancien ambassadeur des États-Unis d'Amérique en France

John Russell Historien et critique d'art

DIRECTION GÉNÉRALE

Françoise Cachin Ancienne directrice des musées de France, cofondatrice

Elizabeth Rohatyn Vice-présidente de la Foundation for French Museums, cofondatrice

DIRECTION

Richard R. Brettell Professor of Aesthetic Studies and Director, Center for the Interdisciplinary
Study of Museums, University of Texas, Dallas, directeur pour les États-Unis

Sybille Heftler Directrice de la Foundation for French Museums, directrice pour la France

Rodolphe Rapetti Conservateur en chef du patrimoine, directeur scientifique

COORDINATEURS DU PROJET MULTIMEDIA

Alain Daguerre de Hureaux Directeur du musée des Augustins de Toulouse, coordinateur pour la France

Leonard Steinbach Chief Information Officer, The Cleveland Museum of Art, coordinateur pour les États-Unis

COMMUNICATION

Robert Fohr Chef de la mission de la communication, Direction des musées de France

Remerciements

Grâce au FRAME, des musées français et américains permettent à nos collections de rencontrer un nouveau public. C'est dans cet esprit de collaboration internationale qu'il m'a semblé opportun de présenter en France une exposition, et une publication, qui présenterait un panorama des grandes traditions artistiques des Amériques anciennes. Les œuvres réunies ici, provenant de huit musées, représentent plus de quatre millénaires de l'histoire culturelle qui s'est déroulée dans les Amériques du Nord, centrale et du Sud. Nous avons également voulu montrer comment la venue des Européens a bouleversé la vie des Américains autochtones, et comment ces cultures, avec leurs traditions artistiques, ont survécu jusqu'à nos jours.

La mise en œuvre d'un projet d'envergure tel que *Symboles sacrés* ne pouvait être menée à bien que par la collaboration de nombreuses personnes des musées et institutions, tant en France qu'en Amérique. Je veux remercier Francine Mariani-Ducray, directrice des musées de France, présidente de FRAME, ainsi qu'Elizabeth Rohatyn et Françoise Cachin, fondatrices et directrices générales de FRAME, pour leur soutien constant ; leur hauteur de vues et leur assistance ont été primordiales, et bienvenues. Je remercie aussi mon collègue Richard Brettell, directeur de FRAME aux États-Unis, pour son soutien enthousiaste, qui a beaucoup contribué à la réalisation du projet. Merci également à mes collègues, directeurs de quatre musées français qui hébergeront l'exposition, et à mes collègues américains qui ont cru à ce projet historique et l'ont soutenu. Que soient particulièrement remerciés nos collègues des institutions suivantes : musée Fabre de Montpellier, Michel Hilaire, conservateur en chef du patrimoine, directeur, Olivier Zéder, conservateur ; musée des Beaux-Arts de Rouen, Laurent Salomé, conservateur en chef du patrimoine, directeur ; musée des Beaux-Arts de Lyon, Vincent Pomarède, conservateur en chef du patrimoine, directeur, Laurence Tilliard, conservateur du patrimoine ; musée des Beaux-Arts de Rennes, Francis Ribemont, directeur, Valérie Lagier, conservateur ; The Cleveland Museum of Art, Katharine Lee Reid, Director, Susan Bergh, Assistant Curator, Marlene Kiss, Associate Registrar for Loans ; The Dallas Museum of Art, John R. Lane, Director, Carol Robbins, Curator of New World and Pacific Cultures, Dan Rockwell, Associate Registrar ; The Saint Louis Art Museum, Brent R. Benjamin, Director, John Nunley, The Morton D. May Curator of the Arts of Africa, Oceania and the Americas, Jeannette Fausz, Associate Registrar, Angela Dugan, Assistant Registrar ; the Fine Arts Museums of San Francisco / M. H. de Young Memorial Museum, Harry S. Parker, III, Director, Kathleen Berrin, Curator in Charge, Africa, Oceania and the Americas, Maria Reilly, Registrar ; The Virginia Museum of Fine Arts, Michael Brand, Director, Kathy Schrader, Associate Director for Collections Management and Resources, Mary L. Sullivan, Associate Registrar ; The Weisman Art Museum, Lyndel King, Director, Karen Duncan, Registrar ; The Yale University Art Gallery, Jock Reynolds, Director, Susan Matheson, The Molly and Walter Bareiss Curator of Ancient Art, Lynne Addison, Registrar, Jennifer Bossman, Assistant Registrar ; FRAME et la Réunion des musées nationaux, Sybille Heftler, directeur de FRAME en France, directrice de la Foundation for French Museums, Rodolphe Rapetti, conservateur en chef du patrimoine, directeur scientifique de FRAME, Robert Fohr, chef de la mission de la communication à la Direction des musées de France, Anne Lamalle, responsable du site on-FRAME, Geneviève Rudolf, responsable d'édition à la Réunion des musées nationaux, Pierrette Lacour, assistante de Rick Brettell, Sophie Prieto, assistante de Sybille Heftler et Mireille Sicora de la Foundation for French Museums.

Ce projet n'aurait pu voir le jour sans le soutien constant de l'équipe du Minneapolis Institute of Arts. Mes remerciements sincères à Jon Severson, Administrative Assistant, Amy Jo Johnson, Executive Assistant to the Associate Director, Michele Callahan, Corporate Secretary, Joe Horse Capture, conservateur-assistant au département Afrique, Océanie et Amériques, Laura DeBiaso, Administrator of Curatorial Affairs and Exhibitions, DeAnn Dankowski, Permissions Assistant, Gary Mortenson, photographe, Bob Fogt, photographe, Brian Kraft, Registrar, Mary Parks, Assistant Registrar, Bill Skodje, Art Crew and Mount Design et bien d'autres dont l'aide a été précieuse. Je voudrais dire quelle chance j'ai eue de travailler avec Molly E. Hennen, conservateur-assistant au département Afrique, Océanie et Amériques, pour réaliser cette exposition. C'est à elle, coauteur de ce catalogue, que l'on doit le souci du détail dans cette entreprise complexe, et son succès grâce à son texte excellent, à ses conseils judicieux et à ses efforts diligents qui n'ont jamais failli.

Enfin, je voudrais exprimer notre reconnaissance pour leurs généreuses participations à la Annenberg Foundation, la Boeckman Family Foundation, Mr and Mrs Henry Buchbinder, Bruce et Carol Calder, la Fox Family Foundation, The Ginko-Group, Emily Summers, Constance Goodyear, Nancy B. Hamon, S. Roger Horchow, Michael J. Horvitz, Mr and Mrs David Mesker, Mr and Mrs O'Donnell, la Perot Foundation, Mrs Lewis T. Preston, Emily Rauh Pulitzer, George A. Shutt et John R. Young.

Merci à toutes et à tous !

Evan M. Maurer

Symboles sacrés : quatre mille ans d'art des Amériques est la seconde manifestation de grande envergure organisée en France par FRAME (French Regional & American Museums Exchange), après *Made in USA. L'art américain de 1908 à 1947*. On se souvient que la réalisation de cette exposition inédite, consacrée à une période de la création outre-Atlantique méconnue des Français, avait failli être compromise par les conséquences des terribles attentats survenus le 11 septembre 2001 aux États-Unis. Son inauguration à la galerie des Beaux-Arts de Bordeaux, le 9 octobre 2001, et sa présentation au musée des Beaux-Arts de Rennes puis au musée Fabre de Montpellier garderont donc valeur de symbole de la volonté de coopération amicale très étroite qui anime le groupe FRAME.

Symboles sacrés, dont la conception est due au Dr. Evan Maurer, président et directeur du Minneapolis Institute of Arts, sera présentée successivement à Montpellier, Rouen, Lyon et Rennes. Cette exposition riche de quelque cent quatre-vingts objets provenant pour la plupart des musées américains de FRAME sera pour le public français, à deux ans de l'ouverture très attendue du musée du quai Branly consacré aux arts et aux cultures non européens, l'occasion de découvrir la beauté et la diversité de la création artistique des peuples des Amériques, du milieu du troisième millénaire avant Jésus-Christ jusqu'à l'arrivée des premiers Européens au début du XVIe siècle. D'une très grande variété de formes, de matières et de styles, ces objets sont autant de témoignages saisissants de la vie des peuples qui les ont créés, de leur histoire et bien sûr de leurs croyances.

FRAME qui rassemble neuf musées américains et neuf musées français est un programme unique en son genre dans le cadre des relations culturelles entre la France et les États-Unis. Son objectif essentiel est de favoriser le lancement et la réalisation de projets collectifs, notamment en matière d'expositions et de multimédia. La mise en service sur l'Internet d'*on-frame*, portail commun aux dix-huit musées, interviendra au moment de l'ouverture de *Symboles sacrés* à Montpellier. De même, à la fin du mois d'août 2002, la première exposition du groupe destinée au public américain s'ouvrira au Cleveland Museum of Art : elle présentera un ensemble exceptionnel de dessins de Raphaël et de son entourage conservés dans les prestigieuses collections du palais des Beaux-Arts de Lille. Une dizaine d'autres manifestations de très haut niveau sont d'ores et déjà prévues d'ici 2006, qui feront connaître les richesses exceptionnelles de ces dix-huit musées à un vaste public, de part et d'autre de l'Atlantique.

Francine Mariani-Ducray
Directrice des musées de France
Présidente de FRAME

Françoise Cachin et Elizabeth Rohatyn
Directrices générales de FRAME

Les chefs-d'œuvre du monde entier naissent libres et égaux. Cette évidence, formulée par le grand collectionneur Jacques Kerchache, n'a pas toujours été la règle.

À une époque où le métissage culturel paraît non seulement évident mais indispensable au monde d'aujourd'hui et de demain, il était temps que se réalise enfin le souhait émis par Guillaume Apollinaire au début du siècle dernier : voir cet art qualifié tour à tour de « primitif », de « premier », de « primordial », sans qu'aucun de ces termes approche de sa vérité, quitter les appartements d'une poignée d'amateurs éclairés pour rejoindre enfin les salles de musées et être vus par le plus grand nombre. Voilà qui est fait.

Mais découvrir ces œuvres, c'est bien plus qu'admirer un savoir-faire ancien et lointain. Approcher ces œuvres, c'est aussi et surtout prendre la mesure des civilisations et des cultures qui les ont engendrées. C'est dépasser définitivement l'absurde querelle entre l'approche esthétique et l'approche ethnographique pour comprendre la société et les forces sociales ou mystiques qui ont guidé leur création. C'est prendre la mesure de la dimension culturelle de ces civilisations, dans toute leur diversité, leurs complexités, leurs richesses, dimension longtemps occultée par l'arrogance et l'ethnocentrisme du monde occidental. C'est rendre à l'œuvre le respect qui lui est dû en lui redonnant sa place dans le cheminement de l'humanité.

Cette idée de l'égale dignité de toutes les cultures et de toutes les civilisations est au cœur des activités de Vivendi Universal. Il était donc naturel, sinon légitime, que Vivendi Universal apporte son soutien à cette exposition co-organisée par FRAME, le premier programme franco-américain regroupant dix-huit musées des Beaux-Arts régionaux en France et aux États-Unis. La participation de Vivendi Universal à cette exposition témoigne de la conviction essentielle qui nous anime et commande à tous nos engagements : donner à chacun les moyens de découvrir d'autres cultures, d'autres civilisations, c'est permettre d'ouvrir un dialogue fertile avec l'autre. C'est opposer à la logique de la violence ou de la résignation une autre réalité, une autre volonté : celle du respect, celle de l'échange, celle du dialogue de toutes les cultures. Un dialogue riche d'exigences, d'ambitions et de générosité.

Vivendi Universal

Bol, 1000-1150
Mimbres, mogollon
The Frederick R. Weisman Museum of Art,
University of Minnesota
Cat. 35

Le musée Fabre de Montpellier se réjouit d'accueillir l'exposition *Symboles sacrés : quatre mille ans d'art des Amériques* pour clore de façon magistrale le cycle des expositions temporaires de l'année 2002.

Cette année riche en événements majeurs est aussi celle de la fermeture provisoire de notre institution, qui doit rouvrir en 2006, agrandie et totalement rénovée, pour le plus grand plaisir des amateurs d'art.

Montpellier est jumelée avec Louisville (Kentucky) depuis 1955 et a tissé depuis lors des liens culturels étroits avec les États-Unis, notamment par l'intermédiaire d'associations dynamiques fédérant la communauté américaine et par l'institution d'échanges interuniversitaires réguliers. C'est dire la légitimité de l'organisation, dans notre cité, d'une manifestation présentant la diversité des civilisations d'outre-Atlantique.

Les pièces exceptionnelles des arts précolombien et amérindien qui sont montrées à cette occasion sont, pour la plupart, totalement inconnues du public européen et nous nous félicitons de la collaboration avec FRAME qui a permis d'organiser cette exposition de grande envergure, en facilitant les contacts avec les grands musées américains prêteurs : le Minneapolis Institute of Arts, qui est à l'origine de cette manifestation, le Dallas Museum of Art, le Saint Louis Art Museum, le Cleveland Museum of Art, le Virginia Museum of Fine Arts... Dans l'avenir, les institutions françaises et le musée Fabre vont collaborer à de grandes expositions thématiques organisées aux États-Unis : en 2003 aura lieu à Portland une rétrospective de la peinture française du XVIIe siècle et, en 2004, une exposition valorisant la prestigieuse collection d'Alfred Bruyas aura lieu à Richmond, à Williamstown et à San Francisco.

Montpellier, ville de culture, ville d'ouverture, est fière de participer à ces échanges culturels, qui sont une source inestimable d'enrichissement pour les citoyens de nos deux nations.

Georges Frêche
Maire de Montpellier

La prochaine édition de l'Armada de Rouen aura lieu en juillet 2003. Par trois fois déjà, cette grande fête nautique a rassemblé jusqu'à dix millions de personnes et plus de cent bateaux, voiliers et navires de guerre, rappelant aux yeux du monde la vocation portuaire et maritime de la ville ainsi que la relation passionnée qu'entretiennent les Normands avec la mer, les contrées lointaines et bien sûr le Nouveau Monde.

Très tôt, les navigateurs normands, en dépit d'une âpre concurrence, coururent l'Atlantique, ne laissant pas aux Espagnols ou aux Portugais le monopole des terres nouvelles. Faut-il le rappeler ? Benoît Paulmier de Gonneville, parti de Honfleur, aborda les côtes du Brésil dès 1504, tandis qu'à la même époque, de nombreuses expéditions partirent des ports de Rouen, de Dieppe ou de Honfleur. Ainsi, dès le XVIe siècle, grâce à ses navigateurs, ses armateurs et ses entrepreneurs, Rouen participa activement aux échanges internationaux et au commerce de bois de teinture, de coton, d'animaux exotiques et de peaux de jaguar en provenance notamment du Brésil. L'entrée royale que les marchands de Rouen offrirent au roi Henri II et à la reine Catherine de Médicis lors de leur visite de 1550 témoigne de la vitalité de ces relations nouvelles.

Aussi sommes-nous aujourd'hui heureux et fiers d'accueillir au musée des Beaux-Arts, du 25 octobre 2002 au 13 janvier 2003, l'exposition *Symboles sacrés* qui est la première exposition du FRAME présentée à Rouen. Elle constituera aussi l'introduction de la « saison américaine » organisée par plusieurs musées de Haute-Normandie en 2003-2004, saison au cours de laquelle les liens de la région avec le Nouveau Monde seront à nouveau mis à l'honneur.

Pierre Albertini
Maire de Rouen

Avec l'exposition *Symboles sacrés*, la ville de Lyon est fière d'accueillir le Nouveau Monde dans ce qu'il a de plus ancien. Le musée des Beaux-Arts de Lyon, qui conserve une collection d'environ soixante-dix objets précolombiens, est bien le lieu où présenter aujourd'hui cet univers des formes du passé. Cette sélection de près de deux cents objets montre comment les échanges se sont tissés, les formes et les techniques se sont empruntées et répandues pour produire un art singulier aux formes pures et dynamiques.

Cette occasion de collaboration internationale, qui permet de faire découvrir un art très peu montré en France, s'inscrit dans la volonté d'attirer à Lyon des images, des objets, des représentations du monde entier pour mieux connaître et comprendre les cultures étrangères.

La réalisation de cette exposition est, en effet, le fruit d'une collaboration entre neuf musées américains – dont le Minneapolis Institute of Arts qui en a conçu le projet – et les musées français dans le cadre de FRAME (French Regional and American Museums Exchange), expression d'un véritable réseau d'échanges entre les grandes métropoles pour la mise en œuvre d'une exigeante politique de décentralisation culturelle.

Je me réjouis également que les équipes de professionnels des musées de Montpellier, Rouen, Lyon et Rennes aient la possibilité, grâce à cette exposition itinérante, de mettre en œuvre un travail commun fructueux sur les pratiques muséographiques, la médiation culturelle, la réflexion sur les publics.

Symboles sacrés montre à quel point notre société contemporaine qui vit à l'échelle de la planète se doit d'être sensibilisée à l'ensemble des expressions culturelles dans toute leur diversité.

Gérard Collomb
Maire de Lyon
Sénateur du Rhône

La culture est au cœur du développement et du rayonnement des territoires.

Les villes en sont, à l'évidence, les promoteurs privilégiés : l'engouement que suscitent leurs grands établissements en témoigne. Les manifestations qui y sont présentées – au premier rang desquelles les expositions – sont d'une qualité exceptionnelle. Les initiatives du FRAME, confortées et assises sur des coopérations très actives, participent à cette excellence. Je veux ici remercier les villes françaises et les musées prêteurs américains, porteurs de ces rencontres.

L'exposition *Made in USA* fut un coup de maître.

Symboles sacrés sera un rendez-vous tout aussi prestigieux.

Nos sociétés contemporaines sont baignées dans une mondialisation multiple mais comment ne pas y inscrire comme dimension essentielle la culture ? Le FRAME en montre la voie.

Les relations privilégiées que nous tissons avec les Amériques sont fortes et riches. Elles sont aussi inscrites dans l'histoire, les Bretons y reliront et reviront des pages essentielles de leur propre passé. Ils y puiseront les atouts du futur.

Edmond Hervé
Maire de Rennes

L'exposition *Symboles sacrés*, résultat de la collaboration entre quatre grands musées de province français et les musées américains, réunis sous l'égide du FRAME, est la plus importante en France depuis celle du musée de l'Homme en 1947 : *Chefs-d'œuvre de l'Amérique précolombienne.*

Le Louvre avait indiqué la voie en 1850 avec la salle des Antiquités américaines, présentation néanmoins limitée aux objets du Mexique et du Pérou, puis en 1928 avec l'exposition du pavillon de Marsan, *Les Arts anciens de l'Amérique*, plus globale. Depuis, *Chefs-d'œuvre de l'art mexicain* à Paris au Petit Palais, 1962 ; *L'Art des Mayas du Guatemala* en 1967-1968 qui pérégrine de Strasbourg à Nantes, Chambéry, Marseille puis Bordeaux ; l'*Art maya du Guatemala* à Paris au Grand Palais en 1968 et plus récemment, à l'abbaye de Daoulas, *Trésors de Colombie* en 1990, et *Mayas au pays de Copán* en 1997 ont continué d'entretenir l'intérêt des Français. Mais, l'objet de ces manifestations se limitait à une culture précise. Ce n'est pas l'une des moindres qualités de la présente exposition que de s'attacher à l'ensemble des civilisations qui ont peuplé le continent américain pendant quatre mille ans.

Les Français ont peu l'occasion de voir dans les musées de notre pays, pauvres en la matière, des objets précolombiens, le musée de l'Homme et le musée des Antiquités nationales conservant les fonds les plus importants. L'ouverture du pavillon des Sessions au Louvre, celle future du musée du quai Branly, révèlent ou amorcent un approfondissement de l'intérêt du public français pour les arts premiers et particulièrement pour ceux des Amériques précolombiennes.

Pourtant, notre pays est profondément lié historiquement avec ces civilisations, et ce dès le XVIe siècle où des explorateurs comme Palmier de Gonneville au Brésil, Verrazzano, un Italien envoyé par François Ier, ainsi que Jacques Cartier en Amérique du Nord et d'autres moins connus entamèrent pour le meilleur et pour le pire nos relations avec le Nouveau Monde. Le village brésilien recréé en 1550 à Rouen, les ouvrages d'André Thevet, Jean de Léry et surtout de Montaigne montrent bien très tôt l'intérêt, certes commercial, mais aussi intellectuel des Français. L'intrication des relations franco-amérindiennes des siècles suivants est développée dans l'introduction au catalogue, « La France et les Amériques » par Evan Maurer.

Combien passionnantes, riches, complexes et diverses sont ces cultures qui depuis 20 à 30 000 ans ont occupé du Canada – aux confins du pays Inuit – jusqu'au Pérou, tout le continent américain. L'exposition divisée en quatre aires géographiques et culturelles recouvre quatre mille ans d'histoire pour s'arrêter au seuil de l'invasion européenne et révèle la diversité de ces cultures (chefferies au Costa Rica, empires administratifs et autoritaires des Aztèques et des Incas par exemple), mais aussi leurs points communs comme le goût pour les matériaux (or, jade, obsidienne…), pour la symbolique (jaguar, soleil…), et les relations qu'elles entretenaient qui n'étaient pas uniquement pacifiques, comme l'on sait.

Les collections des musées d'Amérique du Nord sont particulièrement riches en objets des anciennes Amériques. Le FRAME, après une exposition consacrée à l'art de la première moitié du xxᵉ siècle aux États-Unis, se devait de proposer au public français une manifestation de cette envergure présentant un panorama aussi complet que possible de ces civilisations anciennes, en dépit du caractère non exhaustif des fonds concernés, et qui révèle l'intérêt actuel des archéologues et des musées de l'Amérique du Nord pour ce patrimoine.

L'exposition est consacrée uniquement aux Amériques précolombiennes. L'irruption catastrophique, dévastatrice pour ces cultures des Européens ne peut être passée sous silence, mais montrer l'évolution des populations indiennes après cette date mériterait une exposition d'envergure, à part entière. Autre choix, le parti pris esthétique, d'historien de l'art, plutôt que d'ethnologue qui a présidé à la sélection des objets et à la muséographie. La qualité artistique de la majorité des pièces de l'exposition plaide amplement en faveur de cette approche et témoigne bien évidemment de la richesse, de la fertilité et de la complexité de ces civilisations amérindiennes.

Des textes muséographiques et le catalogue proposent des éclairages sur la religion, les modes de vie, le commerce... de ces civilisations qui permettront aux visiteurs de resituer les objets dans leur contexte.

Cette manifestation doit tout à son commissaire scientifique Evan Maurer, directeur du Minneapolis Institute of Arts et éminent spécialiste de ce sujet. Nous lui sommes redevables de la sélection des objets, d'une grande partie de la rédaction du catalogue, de facilités d'organisation et de contacts privilégiés avec les prêteurs. Enfin nous n'omettrons pas Molly E. Hennen, conservateur-assistant, pour l'Afrique, l'Océanie et les Amériques au Minneapolis Institute of Arts, auteur avec Evan Maurer du catalogue. Son travail fut décisif pour la réalisation du projet, dans ses aspects scientifiques, logistiques, aussi bien que pédagogiques. Nous exprimons toute notre gratitude aux responsables français et américains de FRAME grâce auxquels un tel projet a pu voir le jour, si novateur et si inhabituel dans le contexte des musées français. Cette exposition remarquable confirme de façon éloquente la mission essentielle de FRAME, visant à la valorisation des patrimoines spécifiques des musées de part et d'autre de l'Atlantique. Ces manifestations brillantes des années 2001-2002, accueillies avec enthousiasme tant par la presse que par le public, ont permis aussi de conforter de façon décisive l'image de FRAME en laissant augurer d'autres projets passionnants dans les années à venir...

Michel Hilaire
Directeur du musée Fabre
de Montpellier

Vincent Pomarède
Directeur du musée
des Beaux-Arts de Lyon

Francis Ribemont
Directeur du musée
des Beaux-Arts de Rennes

Laurent Salomé
Directeur du musée
des Beaux-Arts de Rouen

Sommaire

Récipient anthropomorphe, 150-350
Pérou, nazca
Dallas Museum of Art
Cat. 138

Notes : Lorsque les noms des cultures sont traités comme des adjectifs,
ils ne portent pas de majuscules.
Dans les notices des œuvres, lorsque la datation la plus ancienne et la
datation la plus récente d'un objet se situent après notre ère,
la précision « apr. J.-C. » n'est pas mentionnée.

La France et les Amériques

La France a entretenu d'importantes relations avec les Amériques dès le début du XVIe siècle, période pendant laquelle les puissances maritimes européennes ont implanté leurs premières colonies sur ces vastes territoires. En Europe, la France, l'Espagne, l'Angleterre, le Portugal et les Pays-Bas considérèrent les Amériques comme une terre prometteuse. Peu après les premières découvertes, dans les années 1490, elles fondèrent des colonies et profitèrent des ressources naturelles qui devinrent rapidement indispensables à leur stratégie économique, politique et militaire. La France envoya des explorateurs et des colonisateurs en Amérique du Nord et du Sud dès le début du XVIe siècle. Son influence s'étendit alors sur des zones immenses à l'est et au centre du continent nord-américain. Par la suite, ses engagements militaires en Europe allaient entraîner ces possessions dans la lutte contre les intérêts coloniaux britanniques. À la fin du XVIIIe siècle, la présence coloniale française s'exerçait principalement sur les grands territoires de la Louisiane, qui s'étendait du Minnesota au golfe du Mexique, et dans les Antilles, en particulier à la Martinique, en Guadeloupe et en Haïti. Mais son soutien à la toute nouvelle démocratie des États-Unis fut déterminant pour le succès de la jeune nation dans sa lutte pour l'indépendance. La vie du marquis de La Fayette, grand héros de la guerre d'Indépendance, est une brillante illustration des liens affectifs qui unissaient la monarchie française et les Amériques. Il combattit au côté de George Washington avec les troupes françaises et la Continental Army. Si l'immensité des territoires et des ressources naturelles des Amériques inspirèrent les artistes et les écrivains autant que les rois et les marchands, les combats de l'Amérique pour une démocratie sociale, économique et politique forte fournirent un puissant exemple à tous les peuples d'Europe. Quand La Fayette prit la parole, en 1777, au IIe Congrès continental, il expliqua les raisons de son engagement dans la guerre d'Indépendance américaine : « Du premier moment où j'ai entendu prononcer le nom de l'Amérique, je l'ai aimée ; dès l'instant où j'ai su qu'elle combattait pour la liberté, j'ai brûlé du désir de verser mon sang pour elle ; les jours où je pourrai la servir seront comptés par moi, dans tous les temps et dans tous les lieux, parmi les plus heureux de ma vie. »

L'influence française s'exerce toujours dans de nombreuses régions des Amériques, du Québec à la Louisiane et jusqu'aux Antilles. L'implication de l'histoire de France dans celle des Amériques fait encore partie de la vie des gens, de Montréal à Minneapolis, de Saint Louis à La Nouvelle-Orléans, et de Fort-de-France à Port-au-Prince.

La France entra en relation avec les Amériques au début du mois de janvier 1504, lorsqu'un petit navire, commandé par Benoit Palmier de Gonneville, aborda la côte du Brésil. Avec son équipage, il resta six mois auprès d'une tribu indigène accueillante ayant à sa tête un cacique (ou chef) nommé Arosca. Celui-ci envoya même son fils dans ce pays pour nouer des liens plus étroits avec ces étrangers avec lesquels il avait établi de bons rapports. Après un voyage de retour difficile, *L'Espoir,* le bateau de Gonneville, fut capturé par des pirates au large des îles Anglo-Normandes, où il perdit sa cargaison et la majorité de son équipage. Malgré cette perte, le voyage de *L'Espoir* déboucha sur un commerce actif de bois de teinture (ou bois du Brésil, source précieuse de pourpre pour l'industrie textile, la brésiline), de coton, de perroquets, de singes et de peaux de jaguar. Ce commerce se développa dans de nombreux ports normands, principalement Dieppe et Rouen. Il fut particulièrement important pour Rouen qui s'enrichit considérablement en fournissant à l'industrie textile française les teintures vives et rares extraites de ce bois dur, originaire du Brésil. La ville célébra ces relations lors de l'entrée solennelle d'Henri II à Rouen le 1er octobre 1550, avec une fête brésilienne ; sur les rives de la Seine fut reconstitué un village indigène. Il comprenait un certain nombre de maisons brésiliennes, au milieu desquelles une cinquantaine d'hommes, de femmes et d'enfants tupinambas s'adonnaient à leurs occupations. Une gravure sur bois, incluse dans un livre commémoratif publié en 1551 (ill. 1), illustre cet événement extraordinaire. Au milieu des arbres et des buissons, on voit des maisons à toit de chaume avec des cours entourées de barrières en bois. Les activités des villageois forment un curieux mélange ; on aperçoit notamment deux scènes de combat, où des hommes s'affrontent, armés d'arcs, de flèches, de lances et de massues, tandis qu'à l'arrière-plan deux autres villages sont en flammes. Entre les groupes guerriers prennent place des danseurs et quatre couples amoureux ; un personnage à tête couronnée a pris place dans un hamac. Un homme grimpe en haut d'un palmier pour cueillir des noix de coco, tandis que d'autres chassent des oiseaux avec des arcs et des flèches. Et au milieu de toute cette agitation, un groupe impassible d'hommes de peine transportent des billes de bois de teinture vers le rivage où elles sont chargées dans des pirogues, jusqu'aux navires français dont l'ancre est jetée près de la côte. L'événement, extraordinaire, marquait l'intérêt croissant de la France pour l'Amérique et pour son peuple, et le développement de leurs relations.

En 1568, le commerce français avec le Brésil fut interrompu par les Portugais qui contrôlaient alors cette partie de l'Amérique du Sud. Cependant, ces premiers contacts exercèrent une influence profonde et durable sur la culture française. Les premiers livres parus sur le Brésil, par exemple *Les Singularités de la France antarctique autrement nommée Amérique* (1557), d'André Thevet, ou l'*Histoire d'un voyage fait en la terre du Brésil* (1558), de Jean de Léry décrivaient la flore et la faune du pays ainsi que ses habitants. Les indigènes étaient présentés à la fois comme des sauvages abominables et comme des innocents vivant dans l'idéal néo-antique de l'âge d'or. L'image des indigènes d'Amérique vivant dans un état idéal de liberté primitive en dehors des

contraintes sociales, morales, politiques et même économiques, était familière en France et dans toute l'Europe. Elle fut mise en vogue par Michel de Montaigne (« Des cannibales », *Essais,* I, 31) en 1580. Son intérêt était sincère : il rencontra même un groupe de Brésiliens à Rouen, en 1563, cherchant à se rendre compte par lui-même de leur conception du monde. Il estima que ces habitants de la forêt vivaient dans un équilibre harmonieux avec la nature et que, jusque dans leurs cruautés guerrières, ils incarnaient une noblesse d'esprit et de philosophie tout à fait admirable. Cette conception de l'Amérindien vu comme le « bon sauvage » perdura. Le village indigène de 1550 à Rouen fut suivi par d'autres visites de natifs du Brésil et conduisit à des démonstrations du même genre lors des expositions internationales organisées aux XIXe et XXe siècles en France. Le temps passant, les Amérindiens de Montaigne furent à nouveau représentés et popularisés par la littérature, puis par le cinéma et la télévision, si bien que, en France même, l'intérêt pour les cultures amérindiennes anciennes et actuelles ne s'est jamais tari.

François Ier et de riches marchands d'étoffes lyonnais envoyèrent le navigateur florentin Giovanni da

Verrazzano à la recherche d'un passage vers l'Asie par l'ouest, en vue d'établir des relations directes avec la Chine pour le commerce de la soie. Verrazzano arriva en Amérique du Nord à bord de *La Dauphine*, en 1524, et explora toute la côte est, de la Floride à la Nouvelle-Écosse. Il ne trouva pas de passage par l'ouest vers les richesses de la Chine, mais il prouva que l'Amérique du Nord constituait un grand territoire d'un seul tenant, et que les îles et les côtes explorées antérieurement par Colomb et les autres n'étaient pas un simple prélude à l'Asie mais un nouveau continent immense, dont l'existence était inconnue des peuples d'Europe, d'Asie et d'Afrique. C'était un nouveau monde à explorer et à exploiter. Verrazzano publia des descriptions précieuses des indigènes et des paysages riches et variés, qu'il rencontra durant son voyage sur la côte nord-américaine. De retour en France, il espérait convaincre le roi et les marchands de financer une nouvelle expédition. Il ne parvint pas à obtenir leur soutien, mais réussit à faire voile pour le Brésil en 1527, grâce à un partenariat commercial dont le succès final encouragea beaucoup d'autres Français à poursuivre le négoce du bois de teinture.

Finalement, François Ier se rallia aux idées de Verrazzano en finançant une série de trois grands voyages d'exploration de ces riches terres nouvelles qui constituent aujourd'hui l'est du Canada. Pour diriger l'expédition et commander les navires, le roi choisit Jacques Cartier, navigateur malouin expérimenté, qui avait pour mission d'acquérir des connaissances sur ces contrées et d'établir une présence coloniale pour soutenir le commerce. Lors de son premier voyage, en 1534, l'explorateur découvrit le grand golfe du Saint-Laurent et entra en relation avec plusieurs groupes d'autochtones. Lors de son deuxième voyage, il remonta à la voile le Saint-Laurent, passant devant des villes indigènes qui allaient devenir Québec et Montréal. En 1541 et 1542, Cartier conduisit deux nouvelles expéditions destinées à assurer une nouvelle source de richesses et de pouvoir au souverain français. Le rêve que celui-ci avait fait, de contrées lointaines dispensatrices d'opulence, ne se réalisa pas, mais l'habileté et l'autorité du navigateur contribuèrent à établir la France en tant que puissance aux Amériques.

Jean Ribault de Dieppe et René de Laudonnière écrivirent une nouvelle page de l'histoire de la France aux Amériques en fondant une colonie huguenote en Floride (l'actuelle Virginie) grâce à l'appui et à la protection de l'amiral de Coligny. La colonie fut détruite par les Espagnols trois ans plus tard, mais elle avait accueilli un peintre soldat, Jacques Le Moyne de Morgues, qui réalisa une série de quarante-deux peintures représentant la vie quotidienne et les rites des Amérindiens. Nombre d'explorateurs laissèrent des récits détaillés sur les peuples d'Amérique du Nord, mais les peintures de Le Moyne constituent le meilleur témoignage visuel sur la vie indigène dans le sud-est de l'Amérique du Nord. Cette région se rattachait à la vaste zone d'influence de la culture du Mississippien, qui prospéra dans les Woodlands (Terres forestières) de l'Est jusqu'à la fin du XVIIe siècle (illustrée ici par des céramiques et des sculptures). Malheureusement, les originaux des peintures de Le Moyne sont tous perdus, sauf un ; ces œuvres furent cependant gravées par Théodore de Bry dans des éditions d'une collection

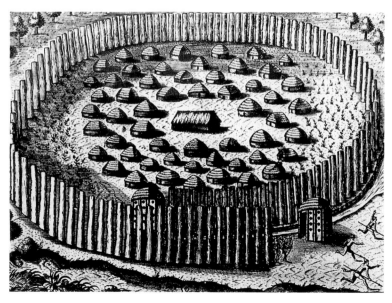

illustrée de voyages « américains », intitulée *America* et parue à partir 1591 (ill. 2).

Ces gravures montrent divers aspects importants de la vie des anciens Amérindiens. Le Moyne observa et consigna les activités quotidiennes, l'agriculture, la chasse et la pêche, ainsi que le stockage, la préparation et la consommation des aliments. Il montra les villes et villages amérindiens, les soins apportés aux malades et le commerce établi avec les Européens. Il représenta aussi les cérémonies publiques, les rituels religieux importants, et la guerre (ill. 3). Le peintre illustra même des événements marquants, comme l'intervention de Pocahontas, fille d'un chef local, pour empêcher l'exécution du capitaine John Smith.

La fondation de la Nouvelle-France fut en grande partie l'œuvre de Samuel de Champlain, navigateur et explorateur qui débarqua la première fois au Canada en 1603. Il poursuivit pendant plus de vingt-cinq ans l'exploration des voies d'eau et du territoire canadiens. Il fonda Québec en 1608, découvrit le lac qui porte son nom en 1609, et les Grands Lacs en 1615. Il travailla sans relâche à l'établissement d'une présence française forte, en commerçant et faisant alliance militairement avec les Algonquins et les Hurons. Il étendit l'influence française à l'ouest dans les grandes forêts qui couvraient l'Amérique du Nord, où vivaient des peuples autochtones et des animaux à fourrure, source apparemment inépuisable d'un commerce très lucratif pour les négociants européens.

Tout comme les explorateurs, les commerçants et les colons français, les missionnaires s'établirent en Amérique du Nord, notamment les jésuites, qui commencèrent à arriver au Canada en 1611. À partir de 1625, l'Ordre déploya une grande activité missionnaire auprès des peuples indigènes, effort qui s'est maintenu jusqu'à nos jours dans certaines régions du Canada français. De nombreux jésuites venus en Amérique étaient aussi des explorateurs intrépides qui entreprirent des voyages longs et pénibles au cœur de la région des Grands Lacs et

des Woodlands, apprenant les langues et les coutumes indigènes et dressant les cartes des vastes territoires revendiqués par la couronne de France. Parmi eux, le père Jacques Marquette, arrivé au Canada en 1666, se dirigea vers l'ouest où il fut le premier Européen à explorer le bassin supérieur du Mississippi, dans les régions du Wisconsin et du Minnesota ; il poursuivit de même au sud jusqu'en Arkansas. Marquette voyagea ainsi pendant neuf ans ; en son honneur, des villes et des avenues reçurent son nom. Parmi les autres explorateurs qui contribuèrent significativement au développement des intérêts français en Amérique figure Robert Cavelier de La Salle. À vingt-quatre ans, il quitta Rouen, sa ville natale, pour le Canada, et entreprit la découverte de l'Ohio, grande rivière qu'il suivit vers le sud jusqu'au Mississippi. Il voyagea en tous sens sur les Grands Lacs, puis entreprit la grande descente du Mississippi, prenant possession des vastes territoires riverains du fleuve au nom de la France, qui détint ainsi cette immense terre, nommée à cette époque « Louisiane », jusqu'à son rachat en 1803 par Thomas Jefferson, alors président des États-Unis. Lors de l'acquisition du nord de la Louisiane, La Salle était accompagné par le père Hennepin qui, par la suite, fut retenu prisonnier par

Ill. 3
Théodore de Bry, d'après Jacques Le Moyne, « Outina et ses troupes défilant », gravure reproduite dans *Collectiones Peregrinationum in Indiam Orientalem et Indiam Occidentalem*, 1591

III. 4
Johann Joachim Kändler,
L'Amérique, vers 1745,
porcelaine,
manufacture de Meissen,
The Minneapolis Institute
of Arts, don de Leo A.
et Doris Hodroff

III. 5
*L'Indépendance
américaine*, toile de Jouy,
vers 1782, Paris, musée
des Arts décoratifs

les Dakotas, dans le centre-nord du Minnesota. Cependant, le missionnaire put encore voyager dans la région. Ses mémoires, parus en 1683, furent très populaires et son nom resta étroitement associé à la région. Aujourd'hui encore, la ville de Minneapolis se situe dans le comté de Hennepin, et l'avenue Hennepin croise les rues Nicollet, Marquette et La Salle, en l'honneur des premiers Français qui explorèrent cette partie de l'Amérique. D'autres grandes villes comme Saint Louis (Missouri) et La Nouvelle-Orléans (Louisiane) doivent leur origine aux Français qui s'installèrent en Amérique.

Même lorsque le contrôle du territoire passa de la France à la Grande-Bretagne, dans les années 1760, au terme d'une longue guerre, sur terre et sur mer, les Amériques et leurs peuples d'origine restèrent un thème récurrent de l'art français. Au XVIIIe siècle, les Amériques étaient personnifiées par un « naturel » (homme ou femme) exotique et romantique, légèrement vêtu d'une courte jupe de plumes, portant l'emblématique coiffe de plumes, accompagné d'animaux étranges, d'oiseaux aux couleurs vives et de fruits rares, tel l'ananas (ill. 4). De la tapisserie à la peinture, en passant par la céramique et la gravure, l'image de l'Américain idéalisé devint l'un des thèmes du vocabulaire décoratif français et plus généralement européen (ill. 5).

À la fin du XVIIIe siècle, la figure du « bon sauvage » amérindien fut influencée par les écrits de Jean-Jacques Rousseau. Le thème contribua à inspirer les artistes, dont Jean-Jacques François Le Barbier, qui étudia d'abord à Rouen, sa ville natale, avant de s'installer à Paris et d'entrer à l'Académie en 1785. Il fit ses débuts au Salon de 1781 avec *Un Canadien et sa femme pleurant sur le tombeau de leur enfant*, image idéalisée où les Amérindiens sont représentés dans l'attitude et les costumes des modèles de l'Antiquité gréco-romaine.

Par la suite, *Atala* de Chateaubriand, publié une première fois en 1801, devait inspirer les peintres (le récit met en scène René, à qui un vieil Indien Natchez, Chactas, raconte sa vie, ses amours avec une jeune Indienne, Atala, puis la mort de celle-ci, qui est en réalité la fille d'un Espagnol). Comme Le Barbier, Girodet choisit de représenter la force stoïque face à la mort dans un tableau très célèbre, *Les Funérailles d'Atala* (1808) qui, acquis par Louis XVIII en 1819, est aujourd'hui conservé au musée du Louvre (ill. 6). Ce thème de la résolution devant la condition mortelle fut repris par Eugène Delacroix dans *Les Natchez,* peint entre 1824 et 1835, par Francisque-Joseph Duret sculptant *Chactas méditant* (1836) et par Gustave Doré dans ses gravures de 1863. Ces œuvres ainsi que d'autres semblables montrent la persistance du thème amérindien dans l'art et la littérature du XIXe siècle français.

Le contact avec les Amériques entaîna aussi de profonds changements en Europe, en Afrique et en Asie, par l'introduction de plantes nouvelles, alimentaires, médicinales ou utilisées pour le plaisir. Par exemple, la pomme de terre, cultivée originellement au Pérou, devint bientôt un aliment de base des populations dans de nombreuses régions d'Europe, notamment en Grande-Bretagne. Le maïs, dont la culture avait commencé il y a plus de 5 000 ans au centre du Mexique, fournit alors une part importante de la ration alimentaire des hommes et du bétail en Europe, en Asie et en Afrique. Sont aussi originaires des Amériques la patate douce, la tomate, l'arachide, le manioc, le cacao, les ananas ainsi qu'une grande variété de haricots, de piments, de courges et le tabac. Ce dernier était utilisé par les indigènes lors des prières, des cérémonies de guérison et des réunions importantes. Malheureusement, la plante médicinale sacrée s'est rapidement transformée en fléau pour la santé humaine.

Les objets et les images des cultures amérindiennes furent constamment associés à la vie publique française. Des robes en peau peintes et d'autres objets, recueillis aux XVIIe et XVIIIe siècles auprès des peuples du Canada, figuraient dans les collections royales à Paris et à Versailles. Elles furent présentées au public, au cabinet des curiosités de la

Ill. 6
Anne-Louis Girodet-Trioson,
Les Funérailles d'Atala, 1808,
huile sur toile, Paris, musée du Louvre

III. 7
Iron Tail [Queue de fer]
et Sam Lone Bear
[Ours solitaire], Indiens
du spectacle de Buffalo
Bill *Wild West Show*,
France, 1905,
Cody, Buffalo Bill
Historical Center

Bibliothèque royale, en 1796. En 1937, cet ensemble fut transféré à Paris, au musée du Trocadéro. Aujourd'hui, le musée de l'Homme – et le futur musée du quai Branly – présentent dans leurs collections des objets provenant des peuples autochtones d'Amérique du Nord des XVIIe et XVIIIe siècles.

Le modèle du village brésilien installé à Rouen en 1550 a souvent été repris pour les Expositions universelles organisées à Paris au XIXe et au XXe siècle. Les États américains qui y participaient présentaient souvent des objets d'art ancien et contemporain de leurs peuples indigènes, dont le cadre de vie traditionnel était aussi recréé en guise d'attraction pour les milliers de visiteurs fascinés par l'exotisme des peuples et de leur histoire. L'intérêt pour l'art ancien des Amériques s'étendait, au-delà de la céramique et de la sculpture, aux modèles de l'architecture ancienne. À l'Exposition universelle de 1867, à Paris, le gouvernement mexicain fit ériger une réplique à

grande échelle de la pyramide du temple principal de Xochicalco, grand site architectural civil et religieux des VIIIe et IXe siècles, proche de Cuernavaca (État de Morelos). La pyramide et l'exposition d'artisanat ancien et contemporain qui l'accompagnait témoignaient que la nation mexicaine était fière de son patrimoine légué par les cultures précolombiennes et de la vitalité de leurs traditions.

Une autre manifestation à l'origine de l'intérêt des Français pour les Amérindiens fut le « Wild West Show », une troupe d'Indiens et de cow-boys qui se produisait en costume (ill. 7). Ils rejouaient des scènes de chasse à cheval, les affrontements encore récents entre les Indiens des Plaines et l'armée des États-Unis et mettaient en scène différents aspects de la vie indienne. Le premier de ces spectacles, qui connut le plus grand succès, fut organisé par William Frederick Cody, dit Buffalo Bill. Chasseur de bisons qui avait combattu les Indiens et pionnier exceptionnel, Cody utilisa sa vie d'aventures pour créer sa tournée de spectacles qui ranima l'image romanesque des Indiens des Plaines partout aux États-Unis puis en Europe.

Buffalo Bill et sa troupe séjournèrent à Londres en 1887 et firent leur première tournée en 1889, jouant leur spectacle à Paris (Exposition universelle), à Lyon et à Marseille. À Paris, la troupe campa dans le parc de Neuilly et donna sa première représentation en présence du président Carnot et d'une délégation diplomatique. Le spectacle remporta un vif succès. Les costumes et les objets indiens, comme le style cow-boy, devinrent à la mode à Paris. Le comte Alphonse de Toulouse-Lautrec, excentrique père de l'artiste, fut de ceux qui se livrèrent à cette nouvelle passion. Cavalier émérite, il avait un goût marqué pour les tenues exotiques et on le vit souvent aller à cheval, revêtu de son costume à franges en daim, à la manière des Indiens des Plaines. Il possédait aussi un tipi en peau de bison, qu'il dressait parfois dans le bois de Boulogne. Rosa Bonheur, qui fréquentait le campement de Cody et assistait souvent aux représentations, réalisa une série de toiles sur le spectacle et sur la troupe. Pendant leur séjour à Paris, les Indiens Dakotas et Pawnees de la troupe de Cody visitèrent la capitale et eurent tous les honneurs de la presse. À la suite de leur séjour à Paris, ils donnèrent leur spectacle pendant onze jours à Lyon et quinze à Marseille avant de se rendre en Italie.

Le Wild West Show de Buffalo Bill remporta un grand succès populaire et fut suivi de tournées plus importantes en 1905 et 1906. De nombreuses villes de province en bénéficièrent, notamment Rouen en juin 1905, Lyon en août, Rennes en septembre, et Montpellier en octobre. Ce regain d'intérêt pour les Indiens fut exploité par les organisateurs de spectacles et donna lieu à de nombreuses imitations. L'histoire de ces représentations mettant en scène de véritables Indiens en costume remonte d'abord aux expositions internationales et à la fête brésilienne donnée à Rouen en 1550.

Aujourd'hui, les moyens ne manquent pas aux Français désireux de connaître les peuples indigènes des Amériques. Outre les récits d'explorateurs, des réflexions des philosophes ou des écrivains et des œuvres d'art, la photographie et les publications modernes mettent à la portée d'un large public, partout dans le monde, la connaissance de ces peuples anciens et les traditions d'Amérique. Livres et revues proposent les chefs-d'œuvre architecturaux de Machu Picchu au Pérou, de Chichen Itza au Mexique, de Cahokia dans l'Illinois et de Chaco Canyon au Nouveau-Mexique. Les documentaires télévisés et de nombreux sites de l'internet proposent un grand choix d'images et d'informations sur ces cultures et sur leurs arts. Dans toutes les Amériques, les musées s'honorent de présenter les œuvres indigènes d'avant et d'après la « rencontre ». Les musées d'Europe, quant à eux, leur accordent aujourd'hui une plus grande attention. En ces temps de mondialisation croissante, il est bien venu que des musées français et américains se soient associés pour porter un nouveau regard sur les peuples indigènes des Amériques, sur leurs cultures et sur leurs arts.

Evan M. Maurer

La vie dans les Amériques anciennes

L'archéologie et l'anthropologie modernes poursuivent activement l'étude du peuplement primitif des Amériques. Alors que l'on trouve certains indices d'un habitat humain datant presque d'il y a 20 000 à 30 000 ans en divers sites d'Amérique du Nord et du Sud, les traces les plus courantes d'une première occupation par l'homme sont aujourd'hui généralement estimées à 12 000 ou 14 000 ans avant le présent. Faute de signes révélant la présence de primates anthropoïdes à une très ancienne époque et en raison de la proximité génétique et physique des Amérindiens avec certaines populations asiatiques, la plupart des scientifiques s'accordent à penser que le premier peuplement humain des Amériques est venu d'Asie orientale par le détroit de Béring. Parallèlement à cette thèse, toujours soumise à examen, existent des hypothèses différentes, dont il faut faire état. Pour tous les peuples amérindiens, les mythes sur leurs origines contiennent l'idée que leurs premiers ancêtres ont vu le jour en Amérique et ont toujours fait partie de l'environnement naturel des deux continents. Des centaines de tribus indigènes vivant aujourd'hui encore sur les terres de leurs aïeux ajoutent foi à ces récits traditionnels. Cet écart entre les faits scientifiques et les croyances indigènes pose une question importante, qui se trouve au cœur des relations entre, d'une part, les peuples indigènes des Amériques et, d'autre part, les Européens, les Asiatiques et les Africains arrivés par la suite.

Les peuples américains autochtones sont les héritiers d'une histoire ancienne constituée de faits et de conceptions qui, d'essence sacrée à leurs yeux, dessinent les grands traits de l'image qu'ils se font d'eux-mêmes à la fois comme groupes liés les uns aux autres et comme individus. Malgré ses positions scientifiques, rationalisées, l'« Occidental » doit reconnaître les théories, les histoires autres, et admettre que des peuples donnent un sens différent à leur relation à la nature. Celui-ci sert encore de fondement même à la vie traditionnelle amérindienne.

Écrire l'histoire complète des nombreux peuples des Amériques, de leurs cultures et de leurs arts serait une immense entreprise. L'objectif, au sein du projet commun d'exposition et de publication entre les musées membres de FRAME, est de proposer un ensemble représentatif de l'art amérindien à partir de leurs collections. Celles-ci étant riches mais non exhaustives, l'exposition a resserré son choix sur des régions dont les arts sont exemplaires des traditions esthétiques les plus raffinées.

Les vastes masses continentales nord- et sud-américaines réunissent une grande diversité de conditions géographiques, écologiques et biologiques. Celle-ci comprend les glaciers de l'Arctique, les vastes toundras, plaines, prairies, massifs forestiers, hautes chaînes de montagnes, déserts, jungles et rivages côtiers. À la multiplicité déconcertante de ces cadres naturels correspond l'extraordinaire habileté avec laquelle les Amérindiens ont su adapter leurs techniques pour survivre aussi bien dans des conditions extrêmes que dans d'autres nettement plus favorables. À cette variété fait écho la multiplicité de groupes distincts parlant chacun sa langue : on estime qu'en 1492 il en existait plus de deux mille, qui ne se comprenaient pas. Bien que le nombre des tribus indigènes ait été réduit de manière impressionnante, on en répertorie encore, rien qu'aux États-Unis, près de cinq cents.

Cette diversité résultait en grande partie des adaptations nécessaires des peuples à leur milieu naturel. Les premiers Américains étaient des chasseurs-cueilleurs vivant en petits groupes de familles, qui acquièrent les aptitudes nécessaires pour survivre dans la nature en recourant à un minimum de techniques. L'augmentation de la population dans les Amériques fut aussi considérablement affecté par les changements climatiques radicaux survenus après le recul de la dernière glaciation. Des modifications favorables, entraînant l'extension des prairies capables de nourrir de grands troupeaux d'herbivores, amenèrent le développement d'un nouvel ensemble de systèmes sociaux rendus nécessaires par l'organisation de la chasse au gros gibier tel que bison, élan et cerf. Il y a environ 12 000 ans, les premiers Américains commencèrent à fabriquer un nouveau type d'outils à longue lame en silex soigneusement taillée. Si certaines de ces lames symétriques à double tranchant servaient de couteaux et de grattoirs, la plupart d'entre elles, fixées à des hampes en bois, se transformaient en lances propres à la nouvelle culture des chasseurs de grand gibier – technique lithique retrouvée de l'Arctique à la pointe sud des Amériques. La large diffusion de cette nouvelle méthode efficace de chasse est un exemple de la rapidité avec laquelle les idées et les techniques se répandent sur de vastes territoires.

Comme partout ailleurs dans le monde, des changements irréversibles pour leur société se produisirent lorsque les chasseurs-cueilleurs commencèrent à compter davantage sur les denrées cultivées pour se nourrir. Le développement de l'agriculture et de l'agronomie américaines, ainsi que ses conséquences culturelles ont été analysés par le professeur Jared Diamond dans *Guns, Germs and Steel* (*De l'inégalité parmi les sociétés,* Paris, Gallimard, 2000). Celui-ci montre que, comparées au Proche-Orient, les Amériques disposaient d'un plus petit nombre de plantes susceptibles d'être modifiées génétiquement pour fournir efficacement des aliments. Ces plantes finirent par constituer les cultures américaines de base, maïs, haricot, courge et pomme de terre, mais elles nécessitèrent, pour être transformées en cultures saisonnières fiables, un temps plus long que les céréales, qui avaient été au fondement des sociétés anciennes proche-orientales puis méditerranéennes et européennes. L'agriculture américaine de plantes domestiquées se développa donc assez lentement à partir de la première sélection d'espèces alimentaires sauvages, il y a 9 000 ans environ. La principale culture vivrière, le maïs, commença à être cultivée à Puebla, au Mexique, vers 2500 av. J.-C. Elle s'étendit alors au reste du continent, comme chez les cultivateurs du désert du sud-ouest des États-Unis et chez les agriculteurs des Woodlands de l'Est. Le maïs se répandit aussi en Amérique du Sud et fut représenté dans les arts anciens du Pérou.

La faune indigène de l'Amérique ancienne différait de celles du Moyen-Orient, de l'Europe ou de l'Asie archaïques. Les animaux susceptibles d'être domestiqués soit pour la consommation alimentaire, soit comme bêtes de somme, pour les transports ou pour travailler la terre, étaient très peu nombreux. Au Mexique et dans certaines régions d'Amérique du Nord, on élevait des dindes et des chiens. Dans les Andes péruviennes, le cochon d'Inde et le canard de Barbarie furent domestiqués pour être consommés. Les Amériques n'avaient pas de grand bétail. Les grands herbivores comme le bison, omniprésent, l'élan et le cerf, n'étaient pas domesticables. Les seules bêtes de somme utilisables pour le transport des biens et des marchandises étaient le chien et, en Amérique du Sud, le lama, tous deux de taille relativement petite et ne pouvant transporter qu'une faible partie de ce que pouvaient tirer des chevaux ou des bœufs. L'absence de grands animaux de trait eut de nombreuses conséquences pour les cultures vivrières. L'adaptation de la roue à la traction de charges lourdes en est un exemple : comme la plupart des transports se faisaient à pied ou sur le dos de petits mammifères, il n'était pas utile de disposer de véhicules à roues.

Malgré cette différence dans la capacité de transport des animaux, de grandes voies commerciales reliaient de nombreuses régions des Amériques anciennes. En Amérique du Nord, le cuivre à l'état natif était une matière rare et précieuse, objet de commerce entre les Grands Lacs et le Sud-Est pour la fabrication d'objets qui rendaient ostensible la position des personnages de haut rang. Les coquillages utilisés pour la bijouterie et la fabrication de perles étaient régulièrement échangés entre les régions côtières du Mexique et de la Californie et les peuples de culture pueblo du sud-ouest des États-Unis. Les perroquets, les aras ainsi que d'autres oiseaux rares et leurs plumes étaient aussi l'objet de commerce entre les jungles du Mexique et leurs voisins Pueblos, situés loin au nord. Des céramiques délicates produites dans certains villages de l'actuel Arizona étaient échangées avec d'autres communautés vivant à des centaines de kilomètres. Les deux continents offrent bien d'autres exemples, montrant que le commerce des produits de valeur, naturels ou manufacturés, ouvrait des voies de contact, par lesquelles étaient diffusés, dans un rayon parfois considérable, les matériaux, les technologies et les idées, facteurs de croissance et de civilisation.

Les débuts de l'agriculture créèrent les conditions dans lesquelles des villages permanents, des villes et de cités pouvaient se développer. Ceux qui cultivaient la terre étaient nécessairement sédentaires et des changements considérables de style de vie se produisirent quand les peuples substituèrent à l'errance de la vie nomade, propre aux chasseurs de grand gibier qui suivent les hordes d'animaux sauvage, l'enracinement dans un espace cultivable. Le développement de l'agriculture entraîna beaucoup d'autres changements culturels et favorisa les innovations ; ainsi naquit l'architecture appliquée au logement, au stockage des réserves et à la défense. L'aménagement d'espaces et de constructions symboliques devint un aspect essentiel de ces systèmes sociaux, économiques, militaires et religieux plus complexes. Ces sociétés centralisées reposaient sur la capacité de l'agriculture à faire vivre un grand nombre de personnes dont le travail n'avait plus pour but la quête quotidienne de nourriture. Rien de tel, en effet, que l'agriculture pour subvenir aux besoins de travailleurs hautement qualifiés et spécialisés, qui disposent ainsi de temps pour innover, développer et diffuser toutes sortes d'artisanats utiles à la vie quotidienne, comme la céramique ou la métallurgie. Ce système économique engendra à son tour des systèmes sociaux et religieux différents. Dans de nombreuses régions des Amériques, les puissantes structures féodales contribuèrent à rassembler de grands territoires grâce à une expansion militaire et à la levée d'impôts sur la main-d'œuvre et sur les marchandises.

Comme dans toutes les cultures du monde, les couches supérieures des sociétés fortement hiérarchisées selon des critères sociaux, économiques et religieux éprouvèrent le besoin de posséder des objets spécifiques qui non seulement pareraient leur personne ou leur environnement, mais aussi symboliseraient sans ambiguïté leur richesse, leur rang et leur pouvoir. De la même manière, l'exercice du culte religieux se déplaça du chaman de village à une classe très organisée de prêtres et de servants attachés à de grands temples. Ce système offrit de nouvelles occasions de créer de nombreux objets décorés, de haute valeur symbolique, réservés aux fonctions religieuses. Et ces symboles sacrés, expression du pouvoir créateur et de la spiritualité des anciens Américains, thème et essence même de cette exposition, retiennent la mémoire de traditions toujours très fortes dans la vie des Amérindiens d'aujourd'hui.

Au XVIᵉ siècle, lorsque les Européens débarquèrent, des grandes civilisations s'étaient développées dans le nord, au centre et dans le sud de l'Amérique. Des empires s'étaient constitués, dont les cités étaient souvent plus vastes et mieux organisées que bien des villes européennes. Ces cultures avaient mis au point des méthodes perfectionnées de calcul mathématique et astronomique. Elles avaient inventé une écriture hiéroglyphique, créé une poésie épique et des mythologies complexes. La musique, la danse et les arts visuels occupaient tous une place majeure dans la vie amérindienne. Comme dans toutes les cultures raffinées, l'art pouvait être abstrait et symbolique mais aussi figuratif.

La conquête du continent par les Européens marqua un tournant dans l'histoire des peuples amérindiens par l'impact humain désastreux qu'elle eut. Dès les premiers contacts, pacifiques, ils furent exposés à des maladies contagieuses venues d'Europe, comme la rougeole ou la variole, qui décimèrent rapidement des populations entières d'autochtones.

Par ailleurs, les Européens considéraient essentiellement la terre du Nouveau Continent comme une source de matières premières, exploitables à leur seul profit. Cette quête de richesses engendra les comportements les plus impitoyables. Tenant les indigènes pour moins humains qu'eux-mêmes, ils considérèrent ces « sauvages païens » comme des êtres à éliminer ou les utilisèrent comme esclaves.

La violence des rapports entre Amérindiens et Européens subsista avec l'exploration et la conquête des territoires du continent. En Amérique du Nord, le gouvernement des États-Unis appliqua une politique meurtrière ; les guerres se succédèrent presque sans trêve, du XVIIe siècle à la fin du XIXe siècle. C'est le massacre des Lakotas, en décembre 1890, à Wounded Knee (Dakota du Sud) perpétré, sous le prétexte de venger la défaite du général Custer en 1876 à Little Big Horn, qui mit fin à la guerre avec les Indiens des Plaines.

Par la suite, le gouvernement américain déplaça le conflit sur le terrain économique et culturel. Les nations indiennes autrefois libres et indépendantes furent contraintes de vivre dans ces grandes enclaves de territoires que constituent les *réserves*. Les conditions de vie y étaient très rudimentaires et

les Indiens se virent réduits au rôle d'assistés dépendant des États-Unis pour leur survie. Dans le même temps, la politique officielle s'efforçait de les intégrer de manière autoritaire à la société euro-américaine, ce qui revenait à les priver de leur héritage culturel. Bien que leur situation soit plus stable aujourd'hui, les Amérindiens doivent toujours faire face aux pressions économiques et culturelles, dont les conséquences sur le plan social sont lourdes.

Pourtant, grâce à leurs traditions anciennes, à leurs valeurs et à leur profond enracinement spirituel, les premiers Américains sont parvenus à maintenir vivantes des cultures plusieurs fois millénaires, que ce soit par la transmission familiale ou par un enseignement structuré, qui participe notamment à la revitalisation des langues.

Présenter aujourd'hui un ensemble d'œuvres d'art provenant des grandes aires culturelles américaines, les interpréter, les expliquer, les mettre en rapport avec ce qu'elles désignent, voilà qui devrait permettre de mieux connaître une partie importante et passionnante de l'histoire humaine. Ces objets nous rappellent le pouvoir universel des arts, celui d'abolir le temps et l'espace et, par là, de créer des liens plus forts dans le monde des hommes grâce à la connaissance, à la compréhension et au partage des valeurs.   EMM

La culture ancienne et les arts d'Amérique du Nord

L'aire culturelle de l'Amérique du Nord recouvre un immense territoire qui s'étend, du nord au sud, des champs de neige et de la toundra arctiques jusqu'à la Mésoamérique (entre l'actuelle frontière des États-Unis et du Mexique), franchissant montagnes, forêts, plaines et déserts, tandis que, d'est en ouest, elle se déploie sur quelque 5 600 kilomètres, de la côte atlantique au Pacifique. La diversité des paysages naturels de l'Amérique du Nord se reflète dans les cultures des peuples autochtones qui vécurent dans ces différentes régions pendant des milliers d'années. C'est la raison pour laquelle les archéologues et les ethnologues répartissent les populations nord-américaines anciennes en quatre aires culturelles principales : la zone arctique et subarctique, les Woodlands de l'Est, l'Ouest et le Sud-Ouest. Une rapide présentation de ces cultures anciennes définira le cadre général dans lequel s'inscrit cette partie de l'exposition, qui se concentre sur les arts des Woodlands de l'Est et sur ceux du Sud-Ouest.

La région arctique est constituée par de nombreuses îles et les milliers de kilomètres de côtes gelées qui s'étirent de l'Alaska au nord-est du Canada. De vastes étendues de toundra arctique s'étalent au sud jusqu'à la limite des forêts de résineux de la zone subarctique. L'Arctique est peuplé depuis au moins 11 500 ans par les Esquimaux ou Inuits, chasseurs habiles sur terre et sur mer, qui ont adapté leur mode de vie à ces conditions climatiques extrêmes. Ce qui a subsisté des arts des anciens Inuits comprend des masques, des statuettes sculptées en bois, en os et en ivoire de morse, ainsi que des instruments et outils finement gravés en os et en ivoire. Les sculptures représentaient des phoques, des morses, des baleines, des caribous, des oiseaux et des ours, que les indigènes chassaient. Ils étaient donc liés à ce monde animal par la pratique de la chasse mais aussi par une dimension plus spirituelle. Ils

sculptaient également des figurines humaines, utilisées comme amulettes ou au cours des rites de guérisons chamaniques. Les masques étaient utilisés par les chamans lors de cérémonies communautaires – encore célébrées aujourd'hui – liées à la religion, à la mythologie et aux traditions populaires anciennes, notamment chez les Inuits. Les artistes excellaient dans le dessin finement gravé sur os, sur bois et sur l'ivoire des mammifères marins. Des motifs stylisés, élégants, formés de traits et de points, ornaient les objets utilitaires tels que flèches de harpons ou manches de couteaux, tout en soulignant leurs formes. Après le premier millénaire de notre ère, des scènes de la vie quotidienne, telles que la chasse ou la vie dans les campements, s'ajoutèrent à ce répertoire graphique.

La vie traditionnelle des anciens Inuits, comme celle de beaucoup d'Amérindiens, était rythmée par de nombreux déplacements sur leur territoire, selon les saisons et les ressources alimentaires disponibles, en fonction du cycle annuel. Durant ces migrations, ils devaient transporter l'ensemble de leurs affaires, dont ils limitaient, en conséquence, le nombre, les dimensions et le poids. L'art qui ornait les objets quotidiens comme les vêtements, les outils et les armes, leur donnait un cachet personnel particulier, précisant leur appartenance à une tribu, et leur conférait une dimension protectrice et sacrée. L'esthétique de ces objets était fondamentale pour tous les Amérindiens car elle reliait spirituellement leur possesseur au monde naturel.

La zone subarctique couverte de grandes forêts de conifères et de montagnes était habitée par des peuples d'un groupe ethnique différent des Esquimaux-Aléoutes de l'Arctique. Tous les peuples originaires du sud de l'Arctique sont rassemblés dans un grand groupe dénommé collectivement « Indiens d'Amérique ». Dans cette aire, ils se divisent en deux familles linguistiques principales, l'athabascan à l'ouest et l'algonquin à l'est. Ces peuples étaient, et sont toujours, des chasseurs de petit et de grand gibier des forêts.

Ill. 1
Serpent Mound,
800 av.-200 apr. J.-C.,
culture Adena,
Woodland ancien,
Adams County, Ohio,
photo Richard Pirko,
Youngstown State
University and
Joe Rudinec, Rudinec
and Associates

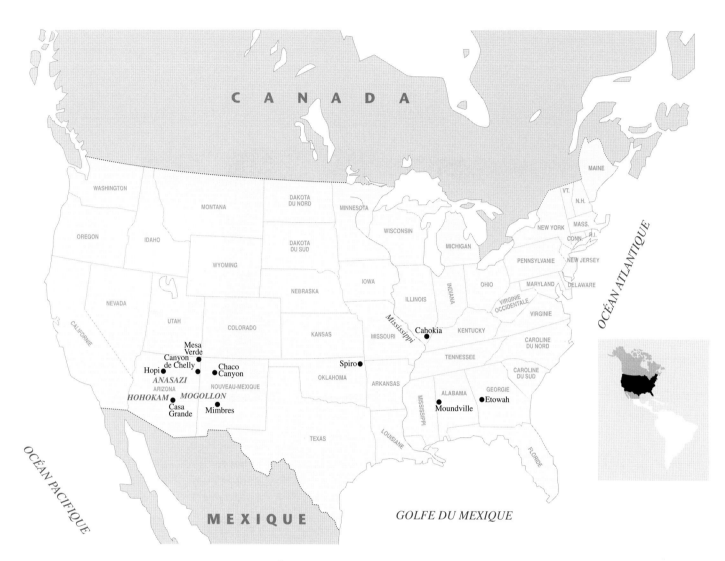

Carte des sites et des cultures des Woodlands de l'Est et du sud-ouest des États-Unis

Ill. 2
Site de Moundville,
1200-1500,
culture Temple Mound,
Mississippien,
Hale County, Alabama,
The Detroit Institute of Arts,
photo Dirk Bakker

La zone culturelle des Woodlands de l'Est *(Eastern Woodlands)* comprend la moitié est du continent, du sud du Canada au golfe du Mexique et, horizontalement, de la côte atlantique à une zone de transition qui longe la rivière Missouri et les frontières ouest du Minnesota, de l'Iowa, jusqu'au Texas. Depuis les côtes arctiques, les différents Woodlands débouchent sur les prairies du Middle West avant de s'étendre dans les larges plaines de l'Ouest. Le climat tempéré favorise la culture d'une importante variété de plantes et la présence d'un grand nombre d'animaux, d'oiseaux et de poissons qui fournirent les ressources alimentaires des peuples autochtones, pendant plus de douze mille ans. L'histoire ancienne des hommes des Woodlands de l'Est se divise généralement selon quatre traditions culturelles : chasseurs de grand gibier, archaïque, Woodland ancien et Mississippien.

La tradition de la chasse au grand gibier désigne la période paléolithique primitive où l'homme prit possession des Woodlands de l'Est et de l'ensemble des Amériques. Ces traits culturels paléo-indiens prévalurent de 10000 à 8000 av. J.-C. environ, jusqu'à ce qu'apparaissent des formes culturelles et des techniques nouvelles. Les seuls objets manufacturés de cette période sont de simples outils en pierre taillée, utilisés pour chasser et préparer le gibier. Cependant, avec l'apparition de la période archaïque, qui dura de 8000 à 1000 av. J.-C., l'organisation sociale devint plus complexe, car des groupes humains plus importants se rassemblèrent pour vivre sur les sites où la nourriture était abondante en gibier, en plantes comestibles et en crustacés d'eau douce. Un mode de vie semi-sédentaire se développa à la troisième période, dite Woodland ancien, pendant laquelle apparurent des récipients en terre cuite et un nouveau type d'objets de petite taille en pierre polie, présentant des formes géométriques abstraites ou animales.

À partir de 700 apr. J.-C., jusqu'aux incursions coloniales des Européens, au XVIIᵉ siècle, une nouvelle culture domina les Woodlands de l'Est, la culture du

Mississipien également dite des Tertres cérémoniels *(Temple Mound Culture)*. Au cours de ces dix siècles, l'agriculture progressa et augmenta ses rendements ; d'importants centres urbains se développèrent, dominés par de grands tertres de terre sur lesquels étaient installées les maisons des chefs, les structures administratives et religieuses ainsi que les sépultures des notables. Ces grands tertres rectilignes à plate-forme étaient disposés de manière régulière autour d'une place centrale (ill. 2). Ces caractéristiques architecturales de même que la diversité des cultures vivrières, maïs, haricot et courge, indiquent une grande influence de la Mésoamérique. Ces constatations apportent la preuve de la diffusion de traits culturels et de certaines valeurs issus de la civilisation des anciens peuples du Mexique, vers les populations Nord-Est américaines. Ces influences étaient diffusées grâce un vaste système de relations commerciales qui permettait la circulation des marchandises et des idées dans toute cette région. Le cuivre à l'état natif était un métal précieux qui s'échangeait entre les rives des Grands Lacs et les centres cérémoniels de l'Alabama, de la Géorgie et, vers l'ouest, jusqu'en Oklahoma. Certaines belles variétés de silex et d'obsidienne, utilisées pour la fabrication des outils et des armes, donnaient lieu à un commerce sur de longues distances, de même que les coquillages utilisés pour la décoration et les objets rares destinés à des personnes de haut rang. Ce système reposait, à la base, sur le commerce local de produits alimentaires, de peaux tannées et de produits manufacturés. En se développant, ces réseaux devinrent suffisamment efficaces pour rassembler ces vastes zones du continent autour du partage de matériaux, d'objets et d'idées.

Durant cette époque du Mississippien, de 700 à 1700 apr. J.-C. environ, on assista à une floraison des arts. La céramique continua de s'affirmer comme une technique autonome, d'une grande perfection, et caractérisée par des motifs géométriques complexes, gravés ou peints sur des formes abstraites ou figuratives. La figure humaine, qui apparaissait parfois dans les arts cérémoniels de l'époque archaïque, est de plus en plus présente. On la remarque sur des bas-reliefs en cuivre et des coquillages gravés sur lesquels sont représentés des danseurs en costume sacré, sur des pipes en pierre et sur des statues figuratives, utilisées dans un contexte funéraire. Lorsque les premiers Européens arrivèrent en Amérique du Nord entre le XVe et le XVIIe siècle – en particulier les explorateurs français et le peintre Jacques Le Moyne –, ils rencontrèrent des peuples appartenant à cette culture mississippienne. Au cours de cette période, et pendant le XIXe siècle, les Européens et les Euro-Américains durent combattre ces groupes autochtones pour contrôler la terre et ne cessèrent de repousser ceux qui résistaient toujours plus vers l'ouest. De nos jours, beaucoup de groupes indigènes de cette région ont disparu ou subsistent en petit nombre. Il reste encore d'importantes populations d'Amérindiens dans les Woodlands de l'Est, notamment les grandes nations iroquoises de l'État de New York et du Canada, dont le mode de vie traditionnel se perpétue malgré l'acculturation et les nombreuses contraintes de la vie moderne.

En se déplaçant vers l'ouest, dans les plaines d'Amérique du Nord, la culture mississippienne se transforma et s'adapta en fonction des possibilités et des limites de ce nouvel environnement. De grands et riches centres cérémoniels furent fondés à l'ouest jusqu'en Oklahoma, mais, en général, les anciens peuples des plaines conservèrent les traditions de chasse au grand gibier de leurs ancêtres ou bâtirent des villages le long des grandes rivières où ils chassaient et cultivaient la terre. Ces grandes plaines s'étendent du Canada au Texas et, à l'ouest, jusqu'à la grande barrière continentale que forment les montagnes Rocheuses. S'étant appropriés le cheval, importé par les Espagnols au XVIe siècle, les descendants de ces peuples, ainsi que d'autres groupes humains qui avaient trouvé refuge dans ces régions à la fin du XVIIe siècle, devinrent les pittoresques Indiens des Plaines, qui finirent par incarner l'image

III. 3
Pétroglyphes,
1600-1800,
Dinwoody Lake,
Wyoming,
photo Evan Maurer

romantique moderne de l'Amérindien. Les tribus des Plaines vivent encore dans de grandes réserves réparties dans tout l'ouest des États-Unis et du Canada. La zone extrême occidentale de l'ancien peuplement américain comprend les régions du plateau de l'État de Washington, de l'Oregon et de l'Idaho, les zones littorales du Pacifique, des forêts et des rivages luxuriants de la côte nord-ouest aux plaines côtières arides et aux déserts de Californie.

Bien que les archéologues n'aient trouvé qu'un nombre réduit d'objets fabriqués par les peuples anciens de la région des Plaines et du Plateau, on connaît leur art grâce à la découverte de petits instruments rituels en pierre et quelques rares figures d'hommes et d'animaux. Les plus grandes réalisations conservées sont des pétroglyphes, inscriptions, images et symboles rupestres piqués, grattés ou peints sur les parois rocheuses (ill. 3). Représentés pendant des milliers d'années, ce sont des images

rituelles sacrées liées à la chasse, à la mythologie et l'évocation des esprits. Ces pétroglyphes font partie du patrimoine artistique de la plupart des régions de culture ancienne d'Amérique du Nord. Si la poterie était peu présente dans la région du Plateau et en Californie, la végétation fournissait en abondance les matériaux nécessaires à la vannerie, principale technique utilisée pour fabriquer les récipients utiles à la cuisine, aux repas et au stockage des vivres. Nombre d'entre eux étaient admirablement confectionnés et remarquablement décorés, et cet artisanat est aujourd'hui encore très vivace.

Parmi les traditions indigènes de la côte ouest, celle du Nord-Ouest (États de l'Alaska, de Washington, Canada), une des plus riches des Amériques, a produit une architecture, une sculpture, une peinture et des tissages remarquables. Les peuples de ces régions vivaient dans un environnement naturel tempéré, humide et très riche. Grâce à la chasse, à la pêche, à la cueillette et à l'agriculture, ils assuraient leurs subsistances quotidiennes et amassaient facilement des provisions pour l'hiver. Peu d'objets fabriqués provenant de la côte nord-ouest ont été conservés, alors qu'à la fin du XVIIIe siècle la culture indigène que les Européens ont trouvée était très développée et possédait une tradition artistique raffinée. Celle-ci comprenait une grande variété de sculptures en bois peint, délicatement travaillées, représentatives d'un système social et religieux minutieusement organisé qui rattachait le peuple à la force nourricière de la nature. Aujourd'hui, les nombreuses tribus de la côte nord-ouest vivent encore sur la terre de leurs ancêtres. Depuis les années 1960, on assiste dans ces régions à une renaissance des activités artistiques ancestrales car les Indiens veulent réaffirmer, faire connaître et partager leurs traditions religieuses, sociales et artistiques.

L'aire culturelle du sud-ouest de l'Amérique du Nord est centrée sur les États de l'Arizona et du Nouveau-Mexique et s'étend largement aux confins de l'Utah, du Colorado, du Texas et du Mexique. Le terrain et le climat y sont plus contrastés que dans n'importe quelle autre région du continent, avec la prédominance des déserts (Sonora, High Sierra), des montagnes et des forêts de conifères. En 7000 av. J.-C. environ, les premiers habitants de ces déserts étaient rassemblés en petits groupes familiaux qui vivaient de la collecte de graines, de noix, de racines et de fruits sauvages, ainsi que de la chasse aux petits animaux et aux oiseaux. Cette tradition se perpétua jusque vers 100 av. J.-C., quand un système sédentaire d'agriculture performant en villages fut introduit au Mexique et en Mésoamérique. Autour de trois principaux produits de l'agriculture américaine, le maïs, le haricot et la courge, s'organisa un mode de vie agricole sédentaire qui engendra de grandes traditions artistiques et culturelles toujours vivantes. Il est difficile de cultiver dans ce climat aride, mais, grâce à une gestion nouvelle de la faible quantité d'eau disponible

pour l'irrigation, notamment par le développement de systèmes efficaces de culture *(dry arroyo farming)*, les peuples anciens du Sud-Ouest adaptèrent les semences et les techniques de culture mésoaméricaines et réussirent à fonder une économie agricole en milieu désertique, qui se maintient depuis plus de deux mille ans. Comme dans la région des Woodlands de l'Est, le développement de l'agriculture collective et la sédentarisation rendirent nécessaire la construction d'habitats permanents, ce qui fut à l'origine de l'architecture. Un autre facteur déterminant de ces changements fut l'introduction de la céramique, utilisée pour le stockage, la préparation et la consommation des aliments solides et des boissons. Jusque vers 300 av. J.-C., les habitants de cette région, qui ne connaissaient pas la poterie, pratiquaient la vannerie avec une grande maîtrise. Ces récipients légers et transportables étaient parfaits pour un mode de vie fondé sur la collecte de nourritures sauvages sur de vastes territoires chauds et secs. Le nouveau mode de vie sédentaire, venu de la Mésoamérique, impliquait l'emploi de la poterie, plus durable que la vannerie. Ces céramiques, dont l'aspect était important pour les habitants du Sud-Ouest, servaient autant dans la vie pratique quotidienne qu'au cours de rituels religieux. La forme et la décoration variaient selon chaque région et ces éléments de style évoluaient, tout comme le mode de vie de leurs créateurs.

Le Sud-Ouest se répartit en quatre zones culturelles principales. La zone d'Anasazi comprend le haut plateau du nord de l'Arizona, le nord du Nouveau-Mexique et une partie du Colorado et de l'Utah. La région Mogollon s'étend du centre nord de l'Arizona au sud-ouest du Nouveau-Mexique. La région Hohokam est comprise entre les déserts du centre et du sud de l'Arizona et le sud du désert mexicain de Sonora. La dernière zone est celle des Patayans ; elle s'étend autour de la grande vallée du Colorado jusqu'à la basse Californie. Ces différentes aires culturelles se distinguent les unes des autres par leur adaptation à l'environnement et une expression propre dans les arts, la musique et la danse, ainsi que par une histoire, une philosophie et une mythologie orales d'une grande richesse. Grâce aux progrès de l'agriculture, les artistes prospérèrent et créèrent une tradition remarquable de céramiques sculpturales peintes, de sculpture sur bois et sur pierre, de peinture murale rituelle, de paniers décorés, de tissage et de bijoux.

La majorité des céramiques décorées du Sud-Ouest ancien est ornée de motifs géométriques. La plupart d'entre eux évoquent de manière abstraite des éléments naturels, nuages, éclairs, tourbillons et motifs en spirale, qui renvoient tous au thème de l'eau, précieuse en milieu aride. Ces décorations figuraient également les proies des chasseurs ou les animaux liés à l'organisation religieuse sur laquelle reposait la vie quotidienne et spirituelle.

Certaines céramiques des périodes dites pueblos tardives, vers 1100-1400 apr. J.-C., représentaient des êtres humains accomplissant des activités rituelles, montrant à quel point la vie des Amérindiens était imprégnée par leur religion. Parmi toutes les traditions anciennes de l'Amérique du Nord, celles du Sud-Ouest sont restées les plus vivaces. Par exemple, les Hopis, descendants des Anasazis, vivent toujours dans les trois *mesas* où leurs ancêtres s'étaient installés il y a plus de 3 000 ans et habitent des maisons en pierre et en adobe vieilles de plusieurs siècles, comme leurs voisins pueblos de la vallée du Rio Grande. La culture traditionnelle en milieu désertique demeure. Les langues anciennes ainsi que leurs pratiques culturelles ont toujours cours. La présence catholique, qui remonte aux missionnaires espagnols arrivés au XVIe siècle, et la christianisation n'ont pas affaibli les traditions religieuses ou la pratique des arts utiles à la vie sociale et rituelle. Visiter un village hopi, c'est retrouver l'Amérique telle qu'elle était avant sa conquête par les Européens. Grâce à la force indomptable de ces peuples indigènes, les grandes traditions sociales, culturelles et religieuses de l'histoire ancienne nord-américaine sont encore vivantes.   EMM

Ill. 4
Maria Martinez, célèbre potier pueblo, vers 1930,
San Ildefonso, Nouveau-Mexique, Minneapolis Institute of Arts

Les arts des Woodlands de l'Est

Dans les Woodlands de l'Est comme dans d'autres régions américaines, d'importantes évolutions culturelles ont suivi l'acclimatation locale de l'agriculture d'origine mésoaméricaine. Celle-ci, qui s'inscrit dans la longue durée, a favorisé l'évolution des villages en villes puis en métropoles régionales, résidence des élites politiques, économiques, militaires et religieuses engendrées par le nouveau système social. Dans l'Ohio, par exemple, ces premiers centres prirent l'aspect d'ensembles cérémoniels organisés autour de grands tertres en terre, dont le plan adopte soit une forme géométrique symbolique (ill. 1), soit stylisée, prenant la forme d'animaux comme l'ours ou le serpent (ill. 1, p. 29), protagonistes des mythes amérindiens. Ces changements intervinrent et se répandirent au cours de la tradition du Mississippien, de 700 à 1700 apr. J.-C. environ, dont on retrouve des éléments dans tous les Woodlands de l'Est. Cependant, les plus grands centres cérémoniels furent fondés au sud, sur les sites de Moundville (Alabama), d'Etowah (Géorgie), de Cahokia (Illinois) et de Spiro (Oklahoma). Il s'agissait d'importantes cités, s'étendant sur plus d'une centaine d'hectares, composées de maisons et de tertres de terre rectangulaires particulièrement grands. Ces édifices immenses étaient généralement surmontés de plates-formes sur lesquelles se trouvaient des bâtiments en bois qui servaient d'habitation aux gouvernants et aux chefs religieux, et accueillaient les cérémonies funéraires. La main-d'œuvre considérable requise pour la construction des tertres gigantesques était fournie par la population locale, sous forme de corvées qui remplaçaient le versement d'une part des récoltes au chef. Un grand nombre d'objets et de céramiques des collections actuelles des musées proviennent des fouilles effectuées dans ces sites.

On trouve à Moundville, dans le centre-ouest de l'Alabama, un exemple d'agglomération et de centre cérémoniel typiques de la tradition du Mississippien (ill. 2). Le site était la métropole d'un ensemble de villages agricoles qui s'étendaient sur 80 kilomètres le long de la vallée fertile de la Black Warrior River. La ville ancienne, en grande partie protégée par une palissade de bois, couvrait environ 200 hectares, avec de vastes secteurs réservés aux maisons communes et un ensemble de vingt tertres à plate-forme, en terre, mesurant de 3 à 18 mètres de haut. Ceux-ci étaient disposés au centre, de manière à former une grande place destinée aux réunions et au commerce. On estime à trois mille personnes la population urbaine, comprenant les nobles, les prêtres, les artisans et les ouvriers, tandis que les communautés paysannes des environs regroupaient de six à dix mille habitants. La richesse du terrain alluvial procurait de bonnes récoltes de maïs, de haricots et de courges, complétées par le poisson, le gibier, les baies et les noix sauvages abondants aux alentours. Sur cette économie nouvelle se fonda une société organisée en chefferies héréditaires d'où étaient issues les autorités politiques, sociales, militaires et religieuses. L'architecture du tertre symbolisait leur puissance. Un nouveau vocabulaire d'ornements, d'instruments, de céramiques et de figures sculptées en bois et en pierre apparut, en réponse aux besoins des nouvelles classes dirigeantes, demandeuses d'objets cérémoniels et d'offrandes funéraires. On retrouve ici les images symboliques du soleil, de l'eau, et la référence aux quatre points cardinaux, comme dans les autres sites de culture mississippienne classique.

De nombreux thèmes de l'iconographie mississippienne tardive sont représentés dans les objets de magnifique facture trouvés à Moundville. Des haches et des palettes en pierre finement polies destinées aux hommes de haut rang, des pipes en pierre zoomorphes et quelques rares représentations humaines étaient utilisées dans les cérémonies. Des artisans spécialisés fabriquaient pour les élites des ornements en coquille et en cuivre décorés d'images d'oiseaux de proie, de pumas, d'araignées, de crotales cornus mythiques, de mains et d'yeux

Ill.1
Remblais et fortications de Newark,
vers 100 av. J.-C.,
culture Hopewell,
Licking County, Ohio,
photo Richard Pirko,
Youngstown State University and
Joe Rudinec,
Rudinec and Associates

Ill. 2
Moundville Mound,
vers 1200,
Woodland tardif,
Moundville, Alabama,
photo Richard Pirko,
Youngstown State
University and
Joe Rudinec,
Rudinec and Associates

humains, ainsi que de symboles mortuaires (crânes et ossements). Ces images étaient aussi gravées sur des disques de coquille, représentant des guerriers dansant, vus de profil, revêtus de costumes recherchés, associés à des rapaces. Les céramiques de Moundville étaient fabriquées selon une technique typiquement mississippienne, où la coquille broyée était utilisée comme dégraissant. Zoomorphes par leur forme ou leur décor, elles présentaient aussi des motifs gravés d'oiseaux stylisés et de spirales symbolisant à la fois l'eau et le soleil.

Le plus grand site ancien de toute l'Amérique du Nord, Cahokia (Illinois), se trouve à la même latitude que Saint Louis, sur la rive est du Mississippi. C'est un immense complexe d'habitations et de constructions cérémonielles qui couvre plus de 15 kilomètres carrés et qui n'accueillait pas moins de vingt mille personnes (ill. 3). On y trouve une bonne centaine de tertres, dont le plus grand, le Monks Mound (ill. 4), s'étend sur 6 hectares et s'élève à 30 mètres de hauteur. Comme la plupart des grands centres mississippiens, Cahokia est situé à proximité de la jonction de plusieurs voies d'eau et de routes terrestres importantes, dans une région écologiquement riche, au carrefour de grandes voies de commerce qui firent la fortune de la ville. Les artisans de Cahokia produisaient des objets et des céramiques anthropomorphes comparables à ceux de Moundville.

Ill. 3
Michael Hampshire, *Reconstitution de la ville de Cahokia*,
non daté, Cahokia Mounds State Historic Site

Ill. 4
Monks Mound, vers 700 apr. J.-C., Woodland moyen,
Cahokia, Illinois, Cahokia Mounds State Historic Site

L'influence de la culture du Mississippien s'étendit à l'ouest jusqu'au site de Spiro (Spiro Mounds), en Oklahoma. Ses premiers habitants occupaient une position stratégique au carrefour de grandes voies de commerce terrestres ou fluviales ; ils disposèrent les maisons et les tertres cérémoniels de façon à former des places publiques. Le peuple de Spiro adapta les formes culturelles de manière spécifique, mais ce qui le caractérise surtout c'est que, de tous les sites culturels comparables du Sud-Est, il a produit le plus grand nombre d'ornements en coquille gravée et en cuivre repoussé. Ces décors constituent le répertoire iconographique le plus complet de la région. Les plaques de cuivre représentent des guerriers dansant, dont les costumes et les coiffures recherchés en plume rappellent les formes mayas de la Mésoamérique. Les danseurs portent souvent des armes et des bâtons cérémoniels. Les costumes et les peintures corporelles font référence à des oiseaux de proie (faucon pèlerin) ou à des prédateurs redoutables comme le crotale. Certaines de ces figures cérémonielles exécutent des danses tandis que d'autres participent à des jeux rituels ou tiennent les têtes coupées de leurs ennemis. Un grand nombre de guerriers portent des disques au cou ou à la ceinture, et de grands ornements aux oreilles.

Ces parures, réservées aux seuls dignitaires, étaient recouvertes de motifs variés reliés à un système cérémoniel évolué, le « culte du Sud » (Southern Cult). Ces motifs font partie d'un vocabulaire décoratif commun à Moundville, à Etowah et à Cahokia : croix à quatre branches égales représentant les quatre points cardinaux, des symboles solaires, « œil en pleurs » du faucon pèlerin, mains humaines avec un œil ou une croix, haches à double tranchant, crânes et ossements humains.

Les centres cérémoniels comme celui de Spiro perdirent progressivement leur population et leur construction cessa à partir du XVIIe siècle. La raison en fut principalement l'intrusion des Européens et les bouleversements sociaux qui en résultèrent, ainsi que l'introduction par eux de maladies nouvelles (rougeole, variole) qui décimèrent une population non immunisée. Après la période d'expansion euro-américaine, certaines tribus, tels les Natchez et les Caddo, étaient restées sur place. Cependant, au XIXe siècle, un grand nombre de tribus de la région sud-est des Woodlands de l'Est furent transférées de force par le gouvernement des États-Unis dans les réserves de l'Oklahoma ; leurs descendants y vivent encore et y observent nombre de leurs traditions ancestrales.   EMM

1
« Pierre-oiseau », vers 2500 av. J.-C.

Woodland archaïque
Schiste
H. 4 × long. 13 × L. 2,1 cm
The Minneapolis Institute of Arts, don de Beverly N. Grossman, 2001.63

Certains objets provenant de l'est de l'Amérique du Nord, et datant du Woodland archaïque (8000-1000 av. J.-C.), sont parmi les premiers à témoigner d'une esthétique définie et consciente. Ce sont de petites sculptures géométriques ou, comme ici, des oiseaux abstraits au corps allongé, en pierre soigneusement polie. La forme et le style varient selon les régions, mais tous comportent des trous qui permettaient de les attacher. Se référant à l'anthropologie historique, les archéologues pensent que ces pierres servaient de poids attachés à un propulseur, ou *atalatl*. Le propulseur est une innovation technique de la période archaïque, qui consiste en une longue pièce de bois munie d'une butée où vient se loger l'extrémité de la hampe de la lance ou du javelot. Cette articulation libre permettait d'utiliser l'*atalatl* comme un levier pour augmenter la vitesse et la puissance du jet – grande avancée pour la chasse et la guerre. La forme abstraite et gracieuse de l'oiseau est typique de l'un des nombreux styles mis en œuvre dans ces petites sculptures. Elle atteste une recherche esthétique précoce appliquée aux objets quotidiens.

EMM

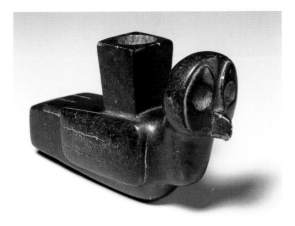

2
Pipe, entre 100 et 600 apr. J.-C.

Culture de Copena, Woodland moyen
Pierre
H. 9,9 × long. 17,8 × L. 5,1 cm
The Cleveland Museum of Art, fonds commémoratif James Albert
et Mary Gardiner Ford, 1979.13

La pipe fait partie de la vie amérindienne depuis des millénaires. Fumer était, et reste, un rite de prière, accompli individuellement ou en groupe. Certaines pipes représentent des animaux totémiques, d'autres des êtres sacrés et mythologiques importants. Les pipes zoomorphes en pierre sculptée, celles en particulier qui représentent des oiseaux, correspondent à une tradition ancienne de la région remontant aux Hopewells. Ceux-ci, qui vivaient autour de la vallée de l'Ohio, il y a environ 2 500 ans, sculptaient magnifiquement de petites pipes, dites à plate-forme. Cette grande pipe figurant une chouette ressemble à celles qui proviennent de sites Woodland archaïque, au sud-est de l'Alabama, du Tennessee et du Kentucky. Les plumes des ailes et de la queue se détachent sur le corps allongé de l'oiseau. La tête se dresse devant le fourneau à hauts bords destiné à recevoir le mélange de plantes. Les mêmes particularités se retrouvent, en plus petit, dans les pipes des Indiens des Plaines, aux XIXe et XXe siècles. Le tabac, souvent mélangé à du saule pourpre, du cornouiller ou du sumac, prenait le nom de *kinikkinik*. La fumée était censée communiquer la prière aux esprits. La qualité du travail de sculpture et du poli est typique du soin apporté à la confection de ces objets précieux. La grande dimension de ce spécimen laisse supposer qu'il s'agit d'une pipe sacrée destinée à un usage collectif.   **EMM**

3
Pipe, début du XIIIe siècle

Culture de Fort Ancient (Ohio), Mississippien tardif
Grès
H. 8,4 × long. 14 × L. 11,2 cm
The Cleveland Museum of Art, fonds pédagogique Harold T.
Clark, 1964.338

La grenouille est souvent représentée dans les pipes en pierre du Mississippien. Sculptée dans un grès local relativement tendre, celle-ci n'a pas l'aspect finement poli des pipes en pierre dure. Elle se tient ici sur une plate-forme, comme perchée sur un petit rocher au bord de l'eau. Le poids, la taille, et la base large et plate de la pipe laissent supposer qu'elle était posée au sol et non tenue en main. Le mélange de tabac et de plantes était placé dans le fourneau creusé dans le dos de la grenouille, la fumée étant aspirée au moyen d'un long roseau creux, inséré dans un petit trou percé vers la base du fourneau.

Selon les traditions amérindiennes, la grenouille, en tant qu'amphibien, relie deux domaines sacrés, aquatique et terrestre, du monde. Paraissant revivre avec les eaux printanières et la chaleur estivale, elle se voit associée à la naissance et à la régénération. Sa métamorphose de têtard en adulte en fait le symbole du pouvoir de transformation, corroborant fortement l'idée que l'on peut vivre sous plus d'une forme physique ou spirituelle. Plusieurs pipes, faisant référence au coassement rythmé de la grenouille, représentent celle-ci tenant un hochet ou crécelle pour la danse, comme si elle prenait part, avec les humains, à une cérémonie rituelle. Ces sculptures animalières sont des métaphores visuelles formulées par un peuple dont la vie est indissociable d'une conception spiritualisée de la nature : il lui appartient et n'exerce sur elle aucune domination.

EMM

4
Hache cérémonielle, XIIᵉ-XVIᵉ siècle

Culture de Fort Ancient (Ohio), Mississippien tardif
Calcaire
H. 36,5 × long. 19,1 × L. 4,1 cm
The Minneapolis Institute of Arts, fonds Putnam Dana McMillan,
96.106

Dans de nombreuses cultures du monde, en Crète ou dans
la Rome antique, en Afrique et en Asie, les haches cérémonielles ont été portées comme symboles de commande-
ment et de position sociale élevée. Ce spécimen est
représentatif des découvertes faites dans de nombreux
sites du Mississippien tardif, qui s'étendent d'Etowah
(Géorgie) et Moundville (Alabama) à Spiro (Oklahoma).
Cette vaste répartition montre que ce genre d'objet était à
la fois un attribut ordinaire porté par les dirigeants dans les
Woodlands de l'Est, et un élément de l'iconographie commune aux sociétés liées au culte du Sud (Southern Cult).
Cette hache est constituée d'une seule pierre, taillée par
éclats, piquée, meulée et polie ; l'extrémité du manche,
auquel a été donnée une forme gracieuse, a été percée
pour recevoir une lanière ou des ornements. Il s'agit de la
représentation d'une hache de pierre utilitaire dont la tête
était montée sur un manche en bois, et qui servait d'arme
ou d'outil. Les haches de pierre sont des symboles fréquents dans l'Amérique ancienne parce que ce sont les
premiers outils qui ont servi à façonner les éléments maté-
riels de la civilisation.   **EMM**

5
Bouton d'oreille au soleil, vers 1300-1400

Woodlands de l'Est, Mississippien tardif
H. 1,4 × long. 7,6 × L. 7,6 cm
Calcaire
The Minneapolis Institute of Arts, fonds Robert C. Winston,
2001.28.2

6
Bouton d'oreille au faucon, vers 1200-1350

Spiro (Oklahoma), Mississippien tardif
Calcaire, cuivre et coquille
H. 1,4 × long. 7,3 × L. 7,3 cm
The Minneapolis Institute of Arts, fonds Robert C. Winston,
2001.28.1

Comme dans la plupart des régions de l'Amérique
ancienne, les notables des sociétés du Mississippien, les
hommes en particulier, portaient au lobe de l'oreille de
grands disques circulaires, symboles de leur rang et de leur
légitimation rituelle. L'un de ces ornements d'oreille représente un soleil rayonnant, concentrique, soigneusement
tracé, signe de pouvoir et de régénération, attribut essentiel dans les sociétés agricoles. Sur l'autre, provenant de la
région de Spiro, est sculptée l'image d'un grand rapace,
aigle ou faucon pèlerin. On admirait beaucoup, chez ces
oiseaux de proie, la rapidité, la force, la vue perçante et la
puissance, toutes qualités requises des chasseurs et des
guerriers. L'oiseau aux ailes déployées est recouvert d'une
mince feuille de cuivre, matériau très rare et précieux, qui
était échangé entre l'Oklahoma et les rivages des Grands
Lacs, autour du Michigan, un millier de kilomètres plus au
nord. L'œil est incrusté d'un petit morceau de coquille qui
donne de l'acuité au regard. Les représentations de
rapaces aux ailes déployées, fréquentes, font référence à
l'Oiseau-Tonnerre, figure sacrée et puissante de nombreuses mythologies amérindiennes.   **EMM**

7

Pectoral, 1200-1350

Spiro (Oklahoma), Mississippien tardif
Coquille
H. 1,3 × diam. 10,2 cm
The Minneapolis Institute of Arts, fonds William Hood Dunwoody,
91.37.1

8

Pectoral, 1200-1350

Spiro (Oklahoma), Mississippien tardif
Coquille
H. 0,6 × diam. 10,8 cm
The Minneapolis Institute of Arts, fonds William Hood Dunwoody,
91.37.2

Le pectoral est une parure retenue par un lien passant autour du cou et tombant sur la poitrine, portée par les notables lors de certaines cérémonies. Il figure encore dans le costume des Indiens d'aujourd'hui. Ces deux spécimens proviennent du grand centre cérémoniel de Spiro (Oklahoma), célèbre pour le nombre d'objets en coquille gravée et sculptée que l'on y a découverts. Tous deux sont ornés de symboles qui distinguaient les personnages de haut rang dans les sociétés extrêmement structurées des cultures du Mississippien. Le soleil est le symbole universel de l'énergie, sans quoi le monde ne pourrait exister. Les douze rayons représentés pourraient faire référence au calendrier, mais, dans les arts de l'époque, l'astre apparaît souvent sous des formes diverses. La main est aussi un symbole caractéristique des objets rituels de cette période. Ici, c'est une main droite, qui évoque traditionnellement la force physique et le charisme personnel. L'œil, au dos de la main, réunit l'action et la vision, deux attributs importants du chef.   EMM

9
Récipient anthropomorphe, IXᵉ-XIIIᵉ siècle

Comté de New Madrid (Missouri), Mississippien ancien
Céramique
H. 19,4 cm
The Saint Louis Art Museum, don des enfants de William Bleeker
Potter, à sa mémoire, 153 : 1946

Un grand nombre de récipients à forme humaine furent
découverts dans les sites du Mississippien, notamment
dans l'Illinois, le Missouri, le Tennessee, le Kentucky et
l'Arkansas. Toutes ces effigies représentent traditionnellement un personnage masculin, aux formes pleines, assis ou
à genoux et apparemment bossu. Quelques-uns, comme
ici, figurent cependant des femmes. La plupart entoure de
leurs mains leur ventre rond, signe de grossesse, de naissance à venir et de la perpétuation de la vie. Le dos bossu
est une allusion au chaman guérisseur, personnage central
des cultures amérindiennes, qui a le pouvoir de soigner les
maux physiques et psychiques de la communauté. Les statuettes de chamans bossus en céramique se retrouvent
communément dans le style de Colima, à l'ouest du
Mexique.   EMM

10
Bol à tête humaine, XIIᵉ-XVᵉ siècle

Vallée du Mississippi, Mississippien tardif
Céramique
H. 12,7 × long. 20 × L. 25,4 cm
The Minneapolis Institute of Arts, fonds Tess E. Armstrong, 96.22.1

On trouve des bols rituels, avec une petite tête humaine
sur le bord, dans un grand nombre de sites des cultures du
Mississippien, dans les États du Tennessee, de l'Alabama et
du Mississippi. Si la tête regarde vers l'extérieur, comme ici,
le récipient semble placé sur le dos du personnage; si, au
contraire, elle est tournée vers l'intérieur, la figure paraît
tenir le bol dans ses bras. Dans les deux cas, la tête représente vraisemblablement un ancêtre important ou un
esprit indispensable à la cérémonie dans laquelle l'objet est
utilisé. Il devient la métaphore du corps qui contient l'aliment nutritif ou le pouvoir guérisseur d'une médecine.
L'attache, sur le bord opposé, servait à tenir l'objet ou à
verser. À l'extérieur du bol sont gravées de grandes spirales. Ce motif, l'un des plus courants de la tradition mississippienne, fait référence à l'eau et aux formes perçues la
nuit dans le ciel. Ce symbole se retrouve dans les cultures
anciennes du monde entier, où il est censé représenter les
puissances cosmiques de naissance, de croissance et de
régénération (voir cat. 13 et 14).   EMM

11

Bol à trois têtes d'ours, XIIᵉ-XVᵉ siècle

Caddo, Mississippien tardif
Céramique
H. 14 cm × diam. 24,1 cm
The Minneapolis Institute of Arts, fonds Ethel Morrison Van Derlip,
90.2.4

Partageant avec l'homme de nombreux traits physiques, l'ours a été considéré de tout temps, en Amérique du Nord, comme un animal doté de grands pouvoirs spirituels. Il a aussi été perçu comme un symbole de régénération à cause de son hibernation suivie d'un réveil printanier. Cette faculté de se renouveler lui confère le pouvoir de guérir, comme en témoignent de nombreux rites où il est invoqué. De plus, par sa force et sa dangerosité, il est le modèle des chasseurs et des guerriers. Le choix de cet animal comme emblème totémique par certaines cultures amérindiennes confirme son importance ; le clan se trouvait ainsi uni sous la protection symbolique d'un être puissant. Les trois têtes qui se profilent ici ne sont pas travaillées dans le détail, toutefois l'artiste a su rendre le moment précis où le plantigrade, en alerte, hume l'air, la tête et les oreilles dressées. **EMM**

12
Bol, XIIe-XVe siècle

Caddo, Mississippien tardif
Céramique
H. 9,5 × diam. 29,2 cm
The Minneapolis Institute of Arts, fonds Ethel Morrison Van Derlip,
90.2.3

Ce vase cérémoniel est orné d'une tête d'oiseau aquatique, sans doute une variété de canard. La vallée du Mississippi est une grande voie de passage pour les oiseaux migrateurs d'Amérique du Nord. Leur trajet régulier du nord au sud et inversement, à certaines époques de l'année, explique que leur réapparition serve à marquer le changement de saison, mais c'était également un gibier apprécié. L'oiseau a la tête gracieusement dressée et son œil grand ouvert est vif. Le cou se fond avec le rebord, de sorte que le bol est perçu comme le corps du canard, la queue étant figurée par l'attache. **EMM**

13
Bol, XIIe-XVe siècle

Caddo, Mississippien tardif
Céramique
H. 5,8 cm × diam. 17,9 cm
The Minneapolis Institute of Arts, fonds Ethel Morrison Van Derlip,
90.1

Ce bol présente un motif gravé de courbes spiralées (voir cat. 10 et 14) qui s'entremêlent de façon particulièrement raffinée. Le centre est occupé par un grand cercle d'où irradient quatre branches légèrement recourbées, qui lui impriment un mouvement de rotation contraire au sens des aiguilles d'une montre. Quatre autres courbes viennent s'intercaler dans l'espace laissé libre de cette roue d'énergie. Une série de cercles plus petits semblent flotter sur un fond de hachures croisées. Une expression puissante et élégante des forces génératrices de la nature se dégage de l'ensemble du motif. **EMM**

Cat. 13

14

Jarre, XIIe-XIVe siècle

Caddo, style Hodges, Mississippien tardif
Céramique
H. 17,9 × diam. 14 cm
The Minneapolis Institute of Arts, fonds Ethel Morrison Van Derlip,
89.17

Comme toutes les poteries des Woodlands de l'Est, cette
jarre en céramique a été montée à la main, et la surface
polie après séchage. Le motif gravé ressemble à celui du
bol précédent, mais ici les spirales se rejoignent en deux
rangs qui entourent le corps de la jarre ; elles se détachent
sur un fond de hachures entrecroisées, ponctué par des
cercles polis. L'énergie et le mouvement ondulant des
lignes évoquent l'eau d'un ruisseau qui contourne les
rochers. Le col étroit et haut du récipient indique qu'il était
destiné à contenir des liquides. **EMM**

15

Flacon, XIIe-XVe siècle

Caddo, Mississippien tardif
Céramique et pigments minéraux
H. 28,6 × diam. 20,3 cm
The Minneapolis Institute of Arts, fonds Ethel Morrison Van Derlip,
90.2.5

On a fabriqué des récipients à col haut et étroit dans de
nombreuses régions de l'ancien Sud-Est, mais ces formes
élégantes, décorées de pigments minéraux rouges et
blancs, sont plutôt associées aux sites du Mississippi et de
l'Arkansas. Vraisemblablement, cette poterie était destinée
à contenir des liquides : corps rond et stable, col réduisant
l'évaporation et permettant de verser facilement. Les secteurs verticaux larges, couverts de pigments minéraux
rouge et blanc, évoquent un bourgeon ou un bouton de
fleur prêt à éclore. **EMM**

16

Jarre à grains, xiie-xve **siècle**

Caddo, Mississippien tardif
Céramique
H. 19 × L. 12,7 cm
The Minneapolis Institute of Arts, fonds Ethel Morrison Van Derlip,
90.2.6

Ces récipients à petite ouverture et à fond légèrement arrondi, de profil gracieux, servaient à conserver les graines pour les semailles de l'année suivante. Ce spécimen, comme la plupart, ne présente aucune décoration gravée, sculptée ou peinte. Cependant, la surface lisse, soigneusement finie, est modulée par des « nuages flammés » dus aux hasards de la cuisson. C'est un exemple élégant de l'art subtil des potiers des Woodlands. **EMM**

L'art du Sud-Ouest

Pendant des millénaires, dans la plupart des régions de l'ancien Sud-Ouest, les cultures humaines ont été fondées sur la cueillette en milieu désertique. Ce mode de vie commença à changer, il y a environ 2 500 ans, lorsque furent introduites, sous l'influence de la Mésoamérique, la culture de plantes domestiquées et certaines innovations techniques importantes, notament la céramique. Les archéologues ont découvert que ces idées et ces méthodes de culture nouvelles provenaient de la région de Chihuahua, au Mexique, et de centres de civilisation comme Casas Grandes. En 100 av. J.-C., les quatre traditions principales de la civilisation du Sud-Ouest, Mogollon, Anasazi, Hohokam et Patayan étaient bien établies. Implantées à la même époque, elles partageaient de nombreux traits communs. On considère cependant que la zone Mogollon fut la première à bénéficier de ces innovations et que, partant de là, l'agriculture, l'architecture et la céramique se diffusèrent dans les régions Anasazi, Hohokam et Patayan. Elles y développèrent des spécificités qui reflétaient leur environnement écologique propre, en particulier pour l'agriculture. Ces nouveaux modèles culturels une fois établis, un grand nombre de peuples autochtones du Sud-Ouest se sédentarisèrent. Leurs descendants occupent toujours ces mêmes régions.

On possède quelques sculptures en bois et en pierre, des paniers et des inscriptions rupestres de l'ancien Sud-Ouest, mais la forme artistique la plus commune qui a subsisté est la céramique, différente selon les régions et les lieux, et selon la créativité de chaque artiste. On distingue deux types principaux de récipients : des poteries utilitaires non décorées et, à partir de 1000 apr. J.-C., une grande variété de céramiques, remarquables par la recherche de motifs décoratifs, symboliques et figuratifs faisant preuve d'une grande imagination.

Ill. 1
Pueblo Bonito,
850-1150, anasazi,
Chaco Canyon,
Nouveau-Mexique,
photo Paul Logsdon

Dans la plupart des cas, les céramiques anciennes du Sud-Ouest étaient fabriquées avec la technique du colombin en spirale puis raclées et lissées, pour obtenir des récipients aux parois fines et solides. La surface, ainsi travaillée et polie, était peinte à l'aide de pigments minéraux rouges et blancs, ou de pigments noirs obtenus à partir de plantes sauvages. Ensuite, la pièce était cuite dans un feu de broussailles, à l'air libre. Vers l'an 1000 apparut une nouvelle technique de couverte, provenant de la région Anasazi, qui consistait à recouvrir la céramique d'un engobe d'argile blanche. Il s'ensuivit des innovations créatrices dans les villages de l'ensemble des régions de culture Anasazi-Mogollon, au Nouveau-Mexique et en Arizona. La plupart des céramistes étaient des femmes, même si l'on sait que les hommes prenaient part à la fabrication. Produire une céramique est un travail long et minutieux. Il faut d'abord trouver et ramener une quantité suffisante de bonne terre. Une fois préparée, l'argile est montée en colombin, lissée et polie pour arriver à sa forme définitive. Elle est ensuite séchée avant d'être peinte et cuite. Dans le Sud-Ouest, les motifs complexes sont peints directement sur la céramique sans dessin préparatoire. L'artiste conçoit son motif et en établit tous les détails, en adaptant visuellement les deux dimensions à la surface tridimensionnelle. Les motifs sont peints à main levée sans prendre de mesure ni employer d'outil, excepté le pinceau en feuille de yucca pour appliquer la peinture. Ces récipients à la décoration exubérante étaient utilisés quotidiennement et jouaient également un rôle important dans la vie religieuse de ces peuples. Les céramiques servaient aussi lors de cérémonies rituelles domestiques, d'activités de groupes religieux particuliers et comme offrandes dans les sépultures individuelles.

La tradition de poteries peintes figuratives la plus célèbre et la plus répandue fut produite pendant environ quatre cents ans dans la région Mogollon du Nouveau-Mexique par les Mimbres, un peuple d'agriculteurs qui prospéra au début de l'ère chré-

tienne. Comme la majorité des populations du Sud-Ouest, ils mirent au point une architecture de pierre et d'adobe. Ces petites constructions sont reliées les unes aux autres de façon à former des ensembles nommés *pueblos*, d'après un terme espagnol. L'intérieur des céramiques est recouvert d'un engobe d'argile blanche sur laquelle les artistes peignaient des motifs géométriques abstraits, divers animaux (oiseaux, insectes et poissons) présents dans la région, et, ce qui est inhabituel, la représen-

Ill. 2
Cliff Dwellings,
1150-1300, anasazi,
Mesa Verde, Colorado,
photo Evan Maurer

tation détaillée de différentes activités humaines, par exemple la chasse ou la célébration de cérémonies religieuses. Ainsi, les artistes mimbres ont laissé, sur leur ancien mode de vie, un témoignage extraordinaire qui permet de faire le lien entre leur univers et les mutations de l'environnement culturel qui se sont imposées avec l'arrivée des Européens.

Les Anasazis, quant à eux, occupèrent l'aire culturelle la plus étendue du Sud-Ouest. Les peuples anciens de cette région adaptèrent l'agriculture au relief de haut plateau aride qui constituait leur cadre de vie et, entre le début de l'ère chrétienne et 400 apr. J.-C., ils déployèrent un vaste réseau d'échanges économiques et culturels. Les régions Anasazis du nord de l'Arizona et du Nouveau-Mexique, du sud de l'Utah et du Colorado étaient reliées par de grandes voies commerciales qui joignaient entre elles les principales zones d'habitation. De celles-ci un grand nombre d'architectures magnifiques sont bien conservées, notamment à

Mesa Verde (ill. 2), près de la frontière entre l'Arizona et le Colorado, à Betatakin et Canyon de Chelly, respectivement dans le nord et l'est de l'Arizona. L'un des plus grands centres était Chaco Canyon, au nord-ouest du Nouveau-Mexique. Les communautés chacos se développèrent entre 900 et 1280 apr. J.-C., date à laquelle des modifications de l'environnement et des ressources alimentaires entraînèrent un changement démographique. À leur apogée, le large fond du canyon accueillait une série de pueblos importants pourvus de constructions cérémonielles. Certains, comme Pueblo Bonito, formaient de grands ensembles semi-circulaires d'appartements, pouvant abriter plus de 1 500 personnes. Certains secteurs, atteignant quatre ou cinq étages, constituaient la place centrale, comprenant aussi de nombreuses kivas, chambres souterraines où se tenaient des réunions à caractère sacré, et qui restent un élément vital de tout village pueblo traditionnel. Chaco Canyon possède aussi plusieurs grandes kivas, très vastes bâtiments circulaires qui ont dû servir pour les rituels de communautés élargies. Des routes anciennes partant de nombreux points de la région convergent vers Chaco Canyon, montrant bien qu'il s'agissait bien là d'un centre de commerce et de cérémonies religieuses. Les Hopis du nord de l'Arizona sont les héritiers actuels de la grande tradition anasazi. Dans certaines villes comme Old Oraibi, habitée sans interruption depuis l'an 1000, les rues non pavées livrent encore des tessons de poteries fabriquées et utilisées sur place en des temps reculés. Ces fragments témoignent de la continuité culturelle, qui joue un rôle vital dans la vie amérindienne aujourd'hui.

L'aire culturelle hohokam occupe la troisième grande région du Sud-Ouest ancien. Regroupés autour des vallées désertiques brûlantes du sud de l'Arizona, les Hohokams tirèrent largement parti de l'agriculture et des autres éléments culturels mésoaméricains introduits par l'intermédiaire des Mogollons, mais dont le plus important est le développement de grandes villes et de lieux rituels. Les plus grandes villes hohokams comportent souvent des caractéristiques mésoaméricaines, en particulier les tertres à plate-forme et les terrains rectangulaires de jeu de balle rituel, courants chez les Mayas et dans d'autres cultures mexicaines anciennes. La culture hohokam éleva aussi d'immenses bâtiments cérémoniels, aux murs épais en adobe, comme Casa Grande, dont certains éléments architecturaux (ouvertures) étaient alignés de manière à pouvoir observer les phénomènes astronomiques, comme le solstice d'été. On lui doit également un type de céramique particulier, en terre de couleur chamois, sur laquelle étaient peints en rouge des motifs géométriques et humains, des animaux et des êtres mythiques stylisés. Les descendants des Hohokams vivent encore dans la région des vallées de Gila et de Salt River près de Phoenix (Arizona).

L'aire Patayan a produit une gamme limitée de céramiques et d'autres objets. Leurs descendants continuent de cultiver la terre à proximité des demeures ancestrales, dans les canyons du fleuve Colorado.   EMM

17

Chope, vers 1000-1125

Style de Chaco, anasazi
Céramique et pigment
H. 15,9 × diam. 13,3 cm
The Minneapolis Institute of Arts, fonds Putnam Dana McMillan,
90.105

Chaco Canyon, au nord-ouest du Nouveau-Mexique est le plus grand site ancien du Sud-Ouest, dont l'espace habité mesurait 15 kilomètres de long sur 3 de large. On y recense dix-huit ensembles de ruines majeures et une centaine de plus petites. Les plus anciennes remontent au début de la culture des Vanniers (Basketmakers), au IXᵉ siècle, suivie plus tard de la période grand pueblo, jusqu'à un abandon progressif du secteur au cours des XIIᵉ et XIIIᵉ siècles, probablement dû à des changements climatiques, à l'érosion et à la diminution des récoltes. L'état de conservation des constructions pueblos en pierre témoigne de la compétence des artisans.

Parmi les objets produits dans ces lieux figurent des chopes hautes, en céramique, avec une base large et une grande anse. Avant toute décoration, la chope était recouverte d'un fin engobe d'argile blanche. Ensuite, sur le récipient divisé en deux zones distinctes, respectivement la base pleine et arrondie et, sur la partie supérieure, étaient peintes des variations d'un motif géométrique très fréquent dans l'art du Sud-Ouest : un escalier à trois degrés sur fond de hachures en diagonale. Ce motif, aux significations multiples, fait d'abord référence au nuage d'orage, porteur de pluie. L'eau, élément vital pour ces agriculteurs du désert, est au centre de toute l'iconographie cérémonielle pueblo et participe symboliquement à l'architecture sacrée de la *kiva*.   EMM

18

Jarre, XIIᵉ siècle

Style de Roosevelt, anasazi
Céramique et pigment
H. 17,8 × diam. 20,3 cm
The Minneapolis Institute of Arts, don de la collection Regis,
97.80.2

À la différence des autres styles de la région, la décoration de cette jarre est assez dépouillée. Elle est principalement constituée par une large bande noire, avec un motif régulier de grecques, qui entoure la panse ronde. Sur le col et sur le bord apparaît une série de trois traits noirs en diagonale ; quant à la poignée, une tresse d'argile, elle donne une certaine dynamique à l'ensemble.   EMM

19
Olla, vers 1250-1300

Style de Kayenta, anasazi
Céramique et pigment
H. 36,8 × diam. 45,7 cm
The Minneapolis Institute of Arts, fonds Putnam Dana McMillan,
90.106

Les potiers pueblos ont produit de grandes jarres, les *ollas,*
où étaient conservées l'eau et la nourriture. Ces grandes
formes étaient montées soigneusement avec la technique
du colombin puis lissées de façon à obtenir une paroi fine
et résistante. Ce spécimen de l'Arizona, de style kayenta,
reprend le schéma décoratif de la jarre socorro (cat. 20) :
une large bande avec un dessin répétitif noir et blanc, qui
souligne la rondeur du récipient. Ce motif est une variante
des grecques entrelacées incorporant de petits carrés
blancs avec un point noir au centre. La grecque reprend le
motif courant du nuage à trois degrés, allusion à l'éclair
des orages d'été, tandis que les carrés blancs à point noir,
souvent utilisés dans ce contexte symbolique, représentent
des rangées de grains de maïs.   EMM

20
Pichet, XIIᵉ siècle

Socorro, anasazi
Céramique et pigment
H. 19,7 × diam. 19 cm
The Minneapolis Institute of Arts, don de la collection Regis,
97.80.1

Le style socorro se distingue par son engobe d'argile blanc
couvrant l'intérieur et l'extérieur du récipient, contrastant
avec les motifs géométriques peints en noir. L'artiste a créé

ses propres variations tirées du répertoire anasazi traditionn-
nel : lignes à double et triple degrés, zigzags et hachures.
Les motifs sont soigneusement proportionnés pour mettre
en valeur la partie du récipient qu'ils décorent, ponctuant
ainsi les quatre divisions de la structure du récipient : la
panse arrondie, le col cylindrique, le bord et la poignée.
On a découvert des céramiques de ce genre dans un grand
nombre de sites du Nouveau-Mexique, près du pueblo
Socorro, sur le Rio Grande. Le pichet est représentatif des
ustensiles de très grande qualité produits dans la région
Anasazi-Mogollon, du XIᵉ au XIVᵉ siècle.   EMM

21
Récipient zoomorphe, XIIᵉ siècle

Anasazi
Céramique et pigment
H. 19,7 × long. 27,9 × L. 12 cm
Dallas Museum of Art, collection de la Fondation pour les arts,
don anonyme, 1991.396.FA

Certains céramistes anasazis incluent à leurs productions
des récipients zoomorphes, relativement rares, sans doute
destinés à des cérémonies particulières. Ce spécimen
représente un animal à cornes, antilope ou cerf, en alerte :
la tête dressée, les yeux ouverts et la queue levée. L'ouverture du récipient a été placée au sommet de la tête de
l'animal. Il est recouvert de l'engobe blanc caractéristique
de la région. Sur les flancs apparaît le motif de l'éclair, dessiné avec vigueur. La plupart des récipients zoomorphes
anasazis figurent de grands herbivores, mais d'autres
espèces, notamment des oiseaux, sont également représentées.   EMM

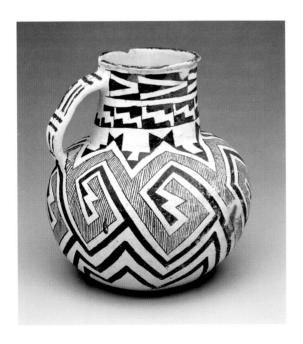

22
Bol, 1250-1450

Style de Gila/Salado, anasazi
Céramique et pigments
H. 10,8 × diam. 21,6 cm
The Minneapolis Institute of Arts, fonds Frances M. Norbeck,
2000.199.1

Ce bol a été produit par les derniers représentants des Anasazis, qui vivaient près du confluent du Gila et du Salt, en
Arizona. L'extérieur des bols, laissé naturel, est rouge, tandis que l'intérieur est couvert d'un engobe crème, sur
lequel sont peints avec netteté des motifs noirs. On voit ici
une spirale (symbole de la force motrice de l'univers) composée de têtes stylisées d'oiseau à huppe.   **EMM**

23
Bol, 1250-1450

Style de Gila/Salado, anasazi
Céramique et pigments
H. 11,7 × diam. 19,8 cm
The Minneapolis Institute of Arts, fonds Frances M. Norbeck,
2000.199.2

L'artiste qui a peint ce bol a associé de grandes sections triangulaires pour créer l'effet visuel d'une roue qui se
déploie avec vigueur en spirale à partir du centre du récipient. La décoration, composée de deux motifs distincts
répétés, évoque les cotonnades tissées et peintes produites
par les Anasazis, entre autres, dans le Sud-Ouest ancien.

EMM

24
Bol, vers 1300

Style de Gila, anasazi
Céramique et pigments
H.11,2 × diam. 26 cm
The Minneapolis Institute of Arts, fonds Putnam Dana McMillan,
90.103

Pour cette décoration audacieuse, l'artiste a associé le
motif des trois degrés (pueblo) et une tête d'oiseau vue de
profil. La ligne brisée des degrés est placée de telle sorte
que le dernier coïncide avec le bec de l'oiseau. Le carré
blanc avec un point noir au centre représente l'œil et la spirale recourbée, une grande boucle de plumes à l'arrière de
la tête. Certains oiseaux tropicaux, dont les macaos, et
leurs plumes sont encore l'objet d'un commerce entre la
Mésoamérique et la région anasazi, à cause de leur usage
toujours actuel dans les cérémonies sacrées. Ce motif
évoque la représentation de l'Avanyu, le serpent aquatique
à plumes de la mythologie pueblo, inspiré du serpent à
plumes du Mexique ancien.   EMM

25
Bol, xiie siècle

Style Reserve, anasazi
Céramique et pigment
H. 14 × diam. 45,7 cm
The Minneapolis Institute of Arts, fonds Ethel Morrison Van Derlip,
91.36.2

La forme inhabituelle de ce grand bol du style Reserve est
sans doute due à une déformation survenue au cours
d'une cuisson lente. L'artiste a dynamisé l'intérieur du bol
par de grands motifs noir et blanc bien définis, et de larges
zones couvertes de hachures serrées. Tout en maintenant
l'essentiel du modèle iconographique, il a su renouveler le
motif de la tête d'oiseau à huppe, associé aux trois degrés.
À cet égard, chaque céramiste était libre de s'exprimer
dans le cadre d'un vaste système de conventions stylistiques.   EMM

26

Bol, vers 1275-1375

Style de Kwakina, anasazi
Céramique et pigments
H.12,7 × diam. 28,6 cm
Dallas Museum of Art, collection de la Fondation pour les arts,
don anonyme, 1991.409.FA

Les représentations anthropomorphes sont tout à fait inhabituelles dans la peinture des céramiques anasazis. Cet exemple étonnant montre une tête humaine dont le front est couvert par un motif en damier et l'ensemble du visage pris dans un bonnet constitué par une chaîne de triangles. Dans la cosmologie religieuse des anciens Pueblos, extrêmement complexe, figuraient des personnages sacrés nommés « katsina ». Les esprits *katsinas* avaient chacun son caractère propre, restitué par des masques dans les danses sacrées et figuré sur des céramiques spéciales et divers objets rituels. Les danses *katsinas* font toujours partie de la vie religieuse communautaire d'un grand nombre de villages pueblos, en particulier chez les Hopis et chez les Zuñis. Les recherches ont montré que les motifs peints sur le bord extérieur des bols pueblos tardifs, comme celui-ci, correspondaient vraisemblablement à la marque du potier.

EMM

27

Jarre, XIIIe siècle

Style de Salado, anasazi
Céramique et pigments
H. 14,3 × 19,3 cm
Dallas Museum of Art, collection de la Fondation pour les arts,
don anonyme, 1991.402.FA

Les artistes pueblos de l'ancien Sud-Ouest se donnèrent un
vocabulaire raffiné de motifs abstraits évoquant les formes
naturelles. Dans cette jarre du style de Salado, datant de la
période pueblo tardif, le contraste entre pigments rouges,
blancs et noirs est mis au service d'un dessin vigoureux
constitué par de grands secteurs colorés et des motifs géométriques. Sur une large bande décorative est figuré un
papillon stylisé dont les ailes et les antennes alternent avec
des montagnes et des nuages représentés abstraitement.
Le papillon fait toujours partie de l'iconographie pueblo,
notamment sur de nombreux objets rituels, en raison de
son rôle dans la pollinisation et dans la croissance des
plantes.   **EMM**

28

Bol, vers 1250-1325

Style Four Mile, anasazi
Céramique et pigments
H. 8,1 × diam. 23,6 cm
The Minneapolis Institute of Arts, fonds Putnam Dana McMillan,
99.70.1

L'intérieur de ce bol offre un ensemble d'images tout à fait
exceptionnel. L'espace est presque entièrement occupé et
encerclé par un oiseau dont la tête, au long bec pointu,
prolonge un long cou recourbé. Ce dernier émerge d'un
petit rectangle orné d'un double motif de nuage (les trois
degrés), évoquant les ornementations des couvertures et
des tissus de coton. Sur un sentier blanc sinueux, des paires
de points figurent peut-être les empreintes de l'oiseau, en
route pour un voyage mythique.   **EMM**

29
Olla, vers 1425-1600

Style de Sikyatki, anasazi
Céramique et pigments
H. 20,9 × diam. 39,1 cm
The Cleveland Museum of Art, acquisition provenant du fonds
J. H. Wade, 1990.10

Cette *olla* assez large, à l'épaule abaissée, est caractéristique de la céramique hopi du XVIIe siècle, et en particulier du pueblo Sikyatki, détruit au cours des violences qui suivirent la révolte des Pueblos contre les Espagnols en 1685. On reconnaît la poterie de Sikyatki à la couleur naturellement orangée de ses surfaces polies et très lisses. L'épaule du récipient est mise en valeur par une bande de motifs géométriques recourant aux nuages d'orage à trois degrés, aux grecques, et aux plumes stylisées. Une étoile formée par quatre triangles est peinte au milieu de la partie haute, tandis que le bord de l'ouverture est souligné par une fine bande noire où s'accrochent des motifs stylisés de plumes et de fleurs de courge.

EMM

30

Bol, avant 1900

Œuvre de Nampeyo, tewa/hopi
Céramique et pigments
H. 10,6 × diam. 24,2 cm
The Minneapolis Institute of Arts, L19.715, prêté par E. H. Hewitt

Les tribus hopis du nord de l'Arizona descendent directement des Anasazis, premiers occupants des villages pueblos, il y a plus d'un millier d'années. Elles poursuivirent la
tradition ancestrale de la poterie, tout en y intégrant des
influences nouvelles. En 1875, l'établissement d'un premier comptoir de commerce à Keams Canyon, près des
mesas hopis, suscita un renouveau de la céramique de qualité, destinée à la vente hors de la tribu. C'est à cette
époque que Nampeyo, artiste tewa dont le talent créateur
domina sa génération, conçut des décorations nouvelles
pour les céramiques destinées à la vente, notamment en
adaptant des motifs retrouvés sur des fragments de poteries du XVIIe siècle mis au jour à Sikyatki (cat. 29). Vers 1895,
elle cessa d'utiliser l'engobe d'argile blanc, omniprésent
sur la céramique hopi au XIXe siècle, pour laisser paraître les
tons chamois orangé de l'argile naturelle. Son originalité
fut aussi de reprendre des éléments naturels stylisés de
Sikyatki tels les plumes d'oiseaux et les épis de maïs. La
céramique de Nampeyo marque la renaissance de la création artistique hopi, dont la tradition se poursuit aujour-
d'hui.   EMM

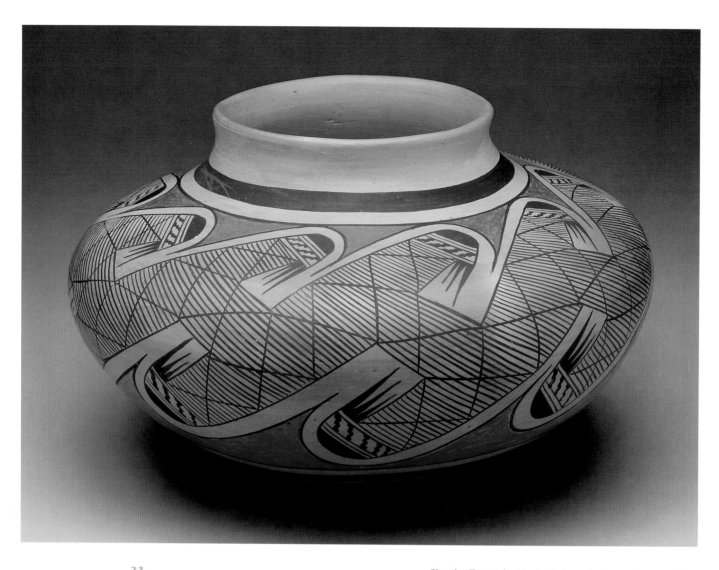

31

Jarre, XXᵉ siècle

Œuvre d'Elva Nampeyo, tewa/hopi
Céramique et pigments
H. 16,5 × diam. 29,2 cm
The Minneapolis Institute of Arts, don de Ruth A.
and Elliot J. Brebner, 96.73.2

Chez les Tewas, les Hopis et dans d'autres cultures pueblos du Sud-Ouest, la céramique est surtout affaire de tradition familiale, les savoir-faire étant transmis de génération en génération. Les potiers pueblos sont pour la plupart des femmes, même si les hommes le sont de plus en plus aujourd'hui. Elva Nampeyo est une descendante directe de Nampeyo, la grande céramiste de la fin du XIXᵉ siècle (voir cat. 30). Le motif de l'aile sur fond de hachures croisées, qu'elle nomme « motif de la migration », appartient depuis longtemps au répertoire familial. Il est sans doute à associer aux récits des Hopis mentionnant une série de grandes migrations antérieures à leur installation sur les trois *mesas* du nord de l'Arizona, où il habitent depuis plus d'un millénaire.   EMM

32

Bol, vers 1300-1350

Style de Kinishba, mogollon
Céramique et pigments
H. 10,5 × diam. 23,5 cm
Dallas Museum of Art, collection de la Fondation pour les arts,
don anonyme, 1991.68.FA

Durant la période pueblo tardive, au XIVᵉ siècle, les céramistes commencèrent à produire de nouvelles poteries
polychromes en faisant usage de blanc, de noir et d'un
rouge terre chaud. Une décoration dense et complexe
couvre l'intérieur et toute l'épaule externe du bol. Le dessin reprend le motif des trois degrés qui s'intègre à des triangles et à des traits vigoureux.

Le pueblo Kinishba se trouve au centre-est de l'Arizona,
région mixte anasazi-mogollon, qui a produit une des traditions de poterie les plus riches du Sud-Ouest. Il était
divisé en deux secteurs, comptant chacun environ deux
cents pièces servant au logement, au stockage et aux cérémonies religieuses. On pense que plus de deux mille personnes y vivaient.   EMM

33
Bol, 1000-1150

Mimbres, mogollon
Céramique et pigment
H. 10,8 x diam. 25,4 cm
The Cleveland Museum of Art, legs Charles W. Harkness, 1930.51

Les fermiers pueblos de la vallée de Mimbres (Nouveau-Mexique) commencèrent à produire des céramiques peintes vers 650 et continuèrent jusqu'à la disparition de leur culture vers 1150. C'est à partir de 1000 qu'apparaît une tradition remarquable caractérisée par des motifs géométriques abstraits raffinés et un large répertoire figuratif, le plus étendu du Sud-Ouest. La majorité de ces bols étaient des offrandes funéraires placées auprès des défunts. Le trou percé au fond des pièces résulte d'un bris rituel accompli au cours de l'enterrement. Ici, le personnage porte un bandeau autour de la tête et tient un bâton en main ; il est plié sous le poids du grand panier qu'il porte sur son dos. Cette représentation évoque les relations commerciales entre de nombreuses régions du Sud-Ouest ancien. **EMM**

34
Bol, 1000-1150

Mimbres, mogollon
Céramique et pigment
H. 10,2 × diam. 25,4 cm
The Frederick R. Weisman Museum of Art, University of Minnesota, dépôt du département d'anthropologie, 1992.22.1034

Les céramiques mimbres classiques sont en argile de couleur grise, laissée en l'état à l'extérieur. L'intérieur des bols est recouvert d'un engobe blanc avant d'être peint avec un pigment noir opaque. Les Mimbres, réputés pour leurs représentations figuratives, excellaient aussi dans les amples motifs géométriques. Un effet dynamique puissant résulte de la combinaison des courbes fluides (centre du bol) avec un système d'éclairs en zigzag et de triangles. **EMM**

35
Bol, 1000-1150

Mimbres, mogollon
Céramique et pigment
Diam. 21 cm
The Frederick R. Weisman Museum of Art, University of Minnesota,
dépôt du département d'anthropologie, 1992.22.730.

Les Mimbres sont aussi une des rares cultures anciennes du
Sud-Ouest à pratiquer la peinture narrative. Ici, un chasseur poursuit une ourse et ses petits. Debout sur une colline, il prend appui d'une jambe sur la pente pour ajuster
une flèche à son arc. Un carquois attaché à sa ceinture en
contient sept autres. Deux flèches ont manqué leur but
mais une troisième l'a atteint. Les six flèches alignées derrière lui font peut-être allusion à d'autres chasses heu-
reuses, symbolisant ainsi ses prouesses. Le baribal (ours
noir) comme le grizzli vivaient dans l'ancien Sud-Ouest.

EMM

36
Bol, 1000-1150

Mimbres, mogollon
Céramique et pigment
H. 8,9 × diam. 24,1 cm
The Frederick R. Weisman Museum of Art, University of Minnesota,
dépôt du département d'anthropologie, 1992.22.375

Les artistes mimbres représentèrent un grand nombre
d'animaux de leur environnement : mammifères, oiseaux,
poissons, amphibiens et insectes. L'image puissante d'une
chauve-souris, ailes déployées, domine au creux de ce bol.
Son corps et ses ailes sont ornés d'étoiles et d'éclairs géométriques. Au-dessus de sa tête, on voit une massue, arme
utilisée pour la chasse aux petits animaux – allusion aux
prouesses du chiroptère, chasseur nocturne qui poursuit
ses proies d'un vol rapide et silencieux.

EMM

37

Bol, 1000-1150

Mimbres, mogollon
Céramique et pigment
H. 11,8 x diam. 31,2 cm
The Cleveland Museum of Art, legs Charles W. Harkness, 1930.50

L'antilocapre *(pronghorn)* est une antilope de taille moyenne encore commune dans de nombreuses zones de l'Ouest et du Sud-Ouest. Méfiante et très rapide, elle se déplace en petites hardes pour paître. Le bol la montre entourée de montagnes stylisées. Comme dans la plupart des représentations animalières des Mimbres, des motifs géométriques apparaissent sur les flancs des antilopes. C'est peut-être une manière de leur conférer le statut de représentantes spirituelles de l'espèce. **EMM**

38

Bol, 1000-1150

Mimbres, mogollon
Céramique et pigment
H. 10,8 × diam. 24,1 cm
The Frederick R. Weisman Museum of Art, University of Minnesota, dépôt du département d'anthropologie, 1992.22.924

Les céramiques mimbres représentent de nombreux types d'oiseaux. Parmi eux, la caille demeure toujours l'oiseau sauvage le plus commun du Sud-Ouest. Cette figuration simplifiée d'une mère suivie de ses petits restitue bien la forme du corps des oiseaux, leurs déplacements rapides et affairés quand ils sont en quête de nourriture. **EMM**

39
Bol, 1000-1150

Mimbres, mogollon
Céramique et pigment
H. 7,9 × diam. 18,4 cm
The Frederick R. Weisman Museum of Art, University of Minnesota,
dépôt du département d'anthropologie, 1992.22.118

La décoration, formée de deux grandes grenouilles, dont
les pattes tendues dessinent un arc, divise l'intérieur du bol
en deux zones courbes symétriques : images en miroir,
comme d'une grenouille au bord d'un étang qui la reflète.
Les grenouilles et les têtards, souvent représentés dans
l'ancien Sud-Ouest, sont associés à l'eau, à la régénération
et à la croissance.   **EMM**

40
Olla, vers 900-1000

Hohokam
Céramique et pigment
H. 24,4 × diam. 32,8 cm
The Cleveland Museum of Art, fonds commémoratif James Albert
et Mary Gardiner Ford, 1983.16

Les céramiques produites par les peuples hohokams du sud
de l'Arizona se distinguent de celles de leurs voisins mogollons et anasazis par leur forme, leur couleur et leur décoration. Ce grand récipient, destiné aux provisions, présente
le décor rouge, peint sur une surface d'argile lissée,
typique des Hohokams. Le décor, constitué d'un entrelacs
de lignes ondulées et de bandes croisées, recouvre toute la
surface. Le motif évoque l'eau vive des rivières du désert
dont dépendaient les communautés agricoles.   **EMM**

Les civilisations du Mexique ancien

Les premières civilisations se sont développées en Mésoamérique il y a plus de 3000 ans. Des vestiges de grandes cités, notamment des pyramides dignes de l'Égypte ancienne, sont parvenus jusqu'à nous. Les peuples qui bâtirent ces villes formaient des sociétés avancées, complexes, soutenues par une agriculture sophistiquée et entretenant de vastes réseaux commerciaux avec les régions voisines. Ces échanges d'idées et de matières précieuses contribuèrent à l'apparition dans le Mexique ancien d'un art original, qui, mis au jour principalement par l'archéologie, se révèle d'une modernité qui frappe toujours nos contemporains. De plus, il est la principale source d'information sur les peuples qui l'ont produit.

Des cultures différentes – même si elles possèdent certains traits communs – ont occupé le territoire du Mexique, et y ont parfois coexisté. La plus ancienne est celle des Olmèques, dont on repère les premières traces dès 1250 av. J.-C., époque à laquelle leur civilisation était déjà très élaborée. Leur architecture monumentale et leur statuaire subsistent dans la région qui borde le golfe du Mexique. Quelques siècles plus tard, sur la côte ouest du Mexique, trois groupes distincts mais apparentés, désignés par le nom des régions où ces céramiques ont été trouvées : Nayarit, Jalisco et Colima, ont produit des poteries d'un style caractéristique dans des tombes à puits élaborées. Ces populations n'ont pas laissé de ville, mais le groupe qui leur a immédiatement succédé habitait une des plus grandes cités du monde d'alors : Teotihuacán, qui brilla de 100 à 750 apr. J.-C. non loin de l'actuelle ville de Mexico. Ses quelque 200 000 habitants, dont on ignore le nom qu'ils se donnaient, vivaient dans des complexes résidentiels. C'est à eux que l'on doit les gigantesques pyramides de pierre élevées en l'honneur de leurs dieux. Les Mayas, à peu près contemporains de cette civilisation, édifièrent des villes importantes et leurs propres pyramides, près du pays olmèque,

dans la péninsule du Yucatán, territoire qui s'étend du sud du Mexique aux actuels Guatemala, Honduras et Belize. Leur système d'écriture est l'un des quatre que l'humanité ait jamais inventés. Les Aztèques, héritiers de toutes ces cultures, venant du nord au XIVe siècle, se sont installés dans la région de Teotihuacán. Ils fusionnèrent les éléments des civilisations précédentes en une culture originale, cependant anéantie par l'arrivée des Espagnols en 1519. Ceux-ci ne tardèrent pas à prendre possession des impressionnantes richesses matérielles des Aztèques et de leurs voisins et à en tirer profit. Ils imposèrent aussi leur structure sociale, se réservant les pouvoirs suprêmes sur les populations qu'ils venaient de soumettre. Il existait d'autres civilisations au Mexique, en plus de celles qui sont évoquées. Mais qu'elles soient antérieures à la conquête ou contemporaines, leur contribution au patrimoine de l'humanité a été ignorée et anéantie par les conquérants.

La culture des Olmèques, « peuple du pays du caoutchouc », se développa le long du golfe du Mexique. Les Olmèques, contraints d'importer tous les matériaux précieux à leurs yeux, étendaient leurs réseaux d'échanges commerciaux des communautés du Guatemala et du Salvador aux villages de la côte ouest et, au nord, jusque dans la vallée de Mexico[1]. Ils cultivaient les trois grandes plantes alimentaires de la Mésoamérique, le maïs, la courge et le haricot, avec un succès tel que la vente des excédents agricoles leur permirent de construire une impressionnante architecture religieuse. Des centres comprenant de grandes pyramides, des plates-formes cérémonielles sur remblai, vastes cours, terrains de jeu de balle, notamment à San Lorenzo, Tres Zapotes et La Venta[2] furent édifiés de préférence le long des cours d'eau. Les Olmèques sont les premiers, semble-t-il, à avoir pratiqué le jeu de balle – à la fois sport de compétition et rite sacrificiel – connu sous diverses formes dans tout le Mexique ancien et plus au nord. Les joueurs s'affrontaient en lançant, uniquement à l'aide de leur torse, de leurs hanches ou de leurs épaules, une petite balle de

NAYARIT

●Ixtlán del Rio

Panuco●

GOLFE DU MEXIQUE

●Ameca

JALISCO

El Tajín

●Autlán

Tula●   ●

COLIMA

Teotihuacán
Tlapacoya

Mayapán
●

Chichén Itzá

MEXICO ●
(Tenochtitlán)

●Cholula

Isla de Sacrificios

Jaina● Uxmal

●Las Bocas ●Remojadas

MAYA

Tulum

M E X I Q U E

●Tres Zapotes

San   ●La Venta
Lorenzo

Monte
Albán●

●Mitla

Palenque●

OCÉAN PACIFIQUE

BELIZE

Tikal●

●Copán

Bonampak●

GUATEMALA

HONDURAS

●Izapa

SALVADOR

NICARAGUA

COSTA
RICA

Carte des sites et des cultures du Mexique ancien

caoutchouc qu'ils devaient faire passer à travers des anneaux de pierre placés en hauteur sur deux côtés du terrain.

Un autre élément caractéristique des villes olmèques, est la présence de colossales têtes de pierre (ill. 2) – certaines pèsent près de quarante tonnes – à l'effigie des souverains. Avec leur visage rond, leurs lèvres charnues et leur nez épaté, ces sculptures massives possèdent tout ce qui fait l'originalité de l'art olmèque. Ces sculptures évoquent des bébés ou des enfants au corps et au visage rebondi. Celui-ci est pour une grande part centré sur la figure humaine, parfois accompagnée d'attributs zoomorphes (crocs) ou surnaturels. Le motif principal est le jaguar, animal très présent dans le Mexique ancien, et auquel les dieux du maïs et de la pluie empruntent leurs traits. Le dieu dragon, chimère d'homme, de félin et d'oiseau, était à la source du pouvoir exercé par le souverain. Parmi les autres êtres surnaturels fréquemment représentés dans l'art olmèque, on trouve le monstre-oiseau, le monstre-poisson et le serpent à plumes[3]. Ce dernier, que les Aztèques nommaient Quetzalcoatl, était souvent mentionné parmi les dieux mésoaméricains – en fait, dans la plupart des panthéons mexicains et au-delà, jusqu'aux cultures pueblos du sud-ouest des États-Unis. L'art olmèque était profane autant que sacré, et les matériaux travaillés étaient l'argile, la pierre et le jade. Ce dernier, le plus précieux, était importé de lointaines contrées. Sa dureté le rendait très difficile à tailler. Autre matériau importé, le cinabre, une poudre rouge, qui servait à orner les sculptures.

La civilisation olmèque se désintégra vers 400 av. J.-C. et les peuples qui l'avaient portée à son apogée se dispersèrent dans les régions voisines. Avec eux essaimèrent leurs techniques et leurs conventions artistiques. Pour constituer, plus tard, leur propre culture, les peuples de Teotihuacán et les Mayas ont massivement puisé dans les éléments de ce fonds. Les cultures du Mexique occidental connues comme cultures de Colima, Nayarit et Jalisco semblent avoir été indépendantes par

Ill. 2
Tête colossale olmèque ,
1000-800 av. J.-C., La Venta, Mexico,
photo courtesy Pictures of Records, Inc.

rapport à la domination olmèque. Comme pour les Olmèques, on ne sait pas sous quels noms elles se désignaient et, il n'existe pas de vestige architectural de ville. Ces populations ne sont connues que par leur poterie. Ces céramiques ont été mises au jour dans les cellules de tombes à puits datant approximativement de 100 à 250 apr. J.-C., mais, menées au mépris des procédures archéologiques, les fouilles de ces sites n'ont pas livré toutes les informations concernant leur contexte. Cependant, les objets trouvés sont suffisamment parlants pour constituer une formidable source de documentation.

Ill. 3
Pyramide du Soleil,
150-225, Teotihuacán,
Mexico, photo courtesy
Pictures of Records, Inc.

Ill. 4
Allée des Morts,
100 av.-100 apr. J.-C.,
Teotihuacán, Mexico,
photo courtesy Pictures
of Records, Inc.

La poterie colima est probablement la plus homogène. De couleur brique variant de l'orange clair au rouge sombre, elle peut être tachetée de noir par un brûlage effectué parfois à une fin décorative[4]. Une grande variété d'êtres vivants y est représentée, hommes et animaux, sous forme de statuettes pleines de petite taille, ou plus grandes et creuses, ainsi que des récipients. Certains aliments sont souvent figurés, le nombre de récipients en forme de courge ou de légumes attestant le rôle que jouait l'agriculture dans cette société. Autre thème récurrent des céramiques de Colima : le chien, à la fois élevé pour sa consommation et considéré comme le guide de l'homme vers le monde souterrain[5].

Les représentations humaines, parfois accompagnées d'animaux, semblent avoir été un des thèmes favoris des artistes de Jalisco et de Nayarit, mais les motifs les plus fréquents, dans ces deux cultures, ont trait à la vie quotidienne et aux activités cérémonielles, comme celle du *volador* ou du jeu de balle. Des visages expressifs, des membres fins et longs, des ornements corporels élaborés (bijoux, peintures, vêtements) sont les traits propres au style de Nayarit. La céramique de Jalisco possède un style plus diversifié que les deux autres cités mais les visages ont en commun la forme allongée, les grands yeux, le nez triangulaire pointu et la bouche ouverte laissant nettement apparaître les dents. Femmes et hommes, souvent assis, adoptent des poses statiques[6]. Ces traditions culturelles, différentes mais apparentées, expriment une certaine

originalité au sein de l'héritage artistique du Mexique ancien. Bien qu'elles semblent n'avoir pas subi d'influences créatives extérieures, notamment olmèque, elles possèdent une vitalité et un potentiel de survie artistique incomparables. Les descendants de ces potiers vivent toujours dans cette région.

La civilisation de Teotihuacán est contemporaine de celles du Mexique occidental. Le nom du peuple qui l'a porté à son apogée et celui de sa métropole sont inconnus : Teotihuacán, « là où on a fait les dieux », est une appellation aztèque[7]. La ville comportait de gigantesques ensembles architecturaux, notamment les pyramides dites du Soleil (ill. 3) et de la Lune, et le complexe de la Ciudadela, qui englobait le temple du Serpent à plumes ainsi qu'une immense plate-forme cérémonielle surélevée. Ces vastes constructions bordaient une large avenue, appelée « allée des Morts », qui traversait sur plus de deux kilomètres le centre de la ville (ill. 4). Cette échelle monumentale s'explique par la capacité de l'irrigation et de l'exploitation intensive des riches sols alluviaux de la vallée de Teotihuacán à faire vivre une société nombreuse, et toujours plus hiérarchisée[8]. Trait original de l'organisation urbaine : les citadins (au nombre approximatif de 150 000 en 600 apr. J.-C.) habitaient des complexes résidentiels d'État insérés dans des environnements bien définis[9]. Leurs appartements étaient ornés de fresques vivement colorées figurant les dieux de Teotihuacán ou déployant des motifs purement graphiques (ill. 5). Leurs rituels religieux, élaborés, étaient centrés sur le culte rendu à la déesse de la terre et au dieu de la pluie que, plus tard, les Aztèques appelleraient Tlaloc. Ils possédaient un calendrier précis, proche de celui des Mayas, leurs voisins[10]. Leur rayonnement s'exerçait surtout par le commerce. Comme les Olmèques avant lui, le peuple de Teotihuacán faisait partie d'un vaste réseau d'échanges régional, par lequel étaient importés le jade et les plumes.

Le jade servait à la sculpture, et particulièrement à celle des masques. L'utilisation de ceux-ci au cours de cérémonies précises, laissent peut-être aussi penser qu'il existait des rituels où le divin se manifestait de manière directe par l'intermédiaire des officiants de la religion du lieu[11]. En tout cas, c'est l'une des formes les mieux connues de l'art de Teotihuacán, parallèlement à la sculpture figurative, la poterie (son vase tripode a été imité par d'autres peuples) et la joaillerie. Vieille de huit siècles, la civilisation de Teotihuacán, qui eut un rayonnement lointain, s'éteignit avec la destruction de la ville vers 750. Le peuple abandonna les ruines, se dispersa et se mêla aux populations environnantes. Pas plus que pour la chute de la société olmèque, on ne connaît les causes de cette désintégration, les détails restent obscurs, même si on peut l'attribuer aux conflits avec les groupes culturels émergents de cette région. Un sort semblable échut, plus tardivement, aux voisins et rivaux du sud, les Mayas.

La civilisation maya, qui évolua entre 250 av. J.-C. et 1000 apr. J.-C., connut son apogée à cette période. Elle est assez bien connue, car, même s'ils ont cessé de bâtir des villes depuis plusieurs siècles, les descendants des Mayas occupent toujours la même région et parlent la même langue que leurs ancêtres. De plus, les Mayas ont laissé une trace écrite de leur histoire. Leur écriture, une des quatre que l'humanité a inventées, consiste en glyphes, que les historiens n'ont su déchiffrer que dans les années 1960. Même si on débat encore de certains détails d'interprétation, leur déchiffrement a notablement bouleversé la vision que l'on pouvait avoir de cette société.

III. 5
Fresque de Tlalocán (reconstitution), 650-750, Teotihuacán, Mexico, photo courtesy Pictures of Records, Inc.

Ceux que l'on prenait pour de pacifiques prêtres-astronomes s'adonnant, dans des centres cérémoniels, à l'étude du calendrier, sont apparus sous les traits d'un peuple belliqueux organisé en cités-États gouvernées par des rois divins qui élevaient à leur gloire d'impressionnants monuments. On connaît le nom de certains de ces souverains : Oiseau-Jaguar, Pacal, Chan-Bahlum et Dix-huit-Lapin[12]. Les Mayas se préoccupaient beaucoup du calendrier et des calculs mathématiques complexes (ils utilisèrent eux aussi le zéro), car la précision des dates était un enjeu important de leur cycle rituel. Une agriculture intensive en terrasses, produisant les principaux végétaux alimentaires mésoaméricains – maïs, courge et haricot – faisait vivre leurs grandes villes. Certains éléments culturels mayas étaient empruntés aux Olmèques, leurs prédécesseurs, comme les ustensiles rituels, la désignation du jaguar comme emblème du pouvoir, le développement des portraits des souverains et de la sculpture monumentale[13].

L'importance du sacrifice humain est un autre élément commun à la plupart des civilisations mésoaméricaines. Chez les Mayas, il ne s'agissait pas seule-

III. 6
Palais de Palenque,
600-800, maya,
Chiapas, Mexique,
photo courtesy Pictures
of Records, Inc.

ment de prisonniers de guerre mis à mort dans un contexte rituel, comme le jeu de balle : à l'occasion de grandes cérémonies, les membres de l'élite pratiquaient des automutilations en se perçant certaines parties du corps et devaient verser leur propre sang, recueilli sur des morceaux de papier d'écorce, qui étaient ensuite brûlés en offrande à leurs dieux. Le sang était la substance vitale nécessaire à la fertilité de la terre et au bon fonctionnement de la société. C'est pourquoi la classe dirigeante pratiquait ces rites assurant de cette manière sa légitimité et pouvait ainsi communiquer avec les ancêtres qui leur apparaissaient alors[14].

L'art maya représente abondamment la guerre, les sacrifices rituels et les dieux. Ces derniers formaient un vaste panthéon, complexe, où se retrouvent des divinités communes à l'ensemble de l'aire mésoaméricaine : dieu du maïs, oiseau céleste et dieu-jaguar[15]. La majeure partie de cet art multiforme, parfois purement décoratif, se concentre autour de thèmes divins où se retrouvent certains éléments des épopées mythiques, comme le *Popol Vuh*, récit des aventures des jumeaux héroïques qui vainquirent les

seigneurs du monde souterrain au cours d'un jeu de balle. L'autre grand thème est la glorification des souverains, représentés dans leurs habits ornés de parures (plumes, pendentifs de jade) au milieu des listes de leurs hauts faits. L'art maya, parfois simplement décoratif, revêt de multiples formes.

Les Mayas participaient aussi activement au système d'échanges mésoaméricain, faisant venir de lointaines régions le jade et les autres matériaux précieux. Après avoir brillé pendant des siècles, leur civilisation, comme celle de leurs prédécesseurs, commença, vers 850 ou 900, à décliner pour des raisons toujours inconnues – peut-être une déstabilisation intérieure combinée à une agression venue de l'extérieur. Les villes furent abandonnées et les Mayas se transformèrent en de petits agriculteurs, ce qu'ils demeurent aujourd'hui.

La civilisation aztèque est la seule de cette aire culturelle pour laquelle il existe des traces écrites contemporaines de leur existence. Elle est le fait d'un peuple venu du nord au XIVe siècle et qui s'est installé dans la région de Teotihuacán. Aujourd'hui, Mexico City recouvre le site de la cité de

Tenochtitlán qui s'est installée sur les îles d'un lac. Ces envahisseurs, peu sûrs de leur domination à leur arrivée, reprirent ensuite le flambeau des grandes civilisations qui les avait précédés. Ayant redécouvert la ville qu'ils renommèrent Teotihuacán, ils s'approprièrent les réalisations artistiques qu'ils y avaient trouvées, ainsi que celles des sociétés antérieures, pour nourrir leur image culturelle[16]. Ils adoptèrent aussi les dieux mésoaméricains – dieu du maïs, dieu de la pluie, serpent à plumes – auxquels ils ajoutèrent un dieu des sacrifices humains – pratique et reprise et accrue comme rituel essentiel du cycle religieux, destinée à assurer aux terres la fertilité et à l'univers sa cohérence[17]. Leur art a produit de grands ensembles architecturaux (temples de maçonnerie élevés sur d'immenses plates-formes creusées dans le roc), des sculptures de pierre, des parures et des poteries.

Quand Hernán Cortés fit irruption en 1519, cette civilisation recherchait encore à affirmer sa position. Son effondrement s'explique par la coïncidence malheureuse d'une légende, où il était question du retour d'un dieu, avec le passage du cycle calendaire sur un point laissant présager un grand changement – à quoi s'ajoutait la fragilité relative de leur domination exercée sur leurs voisins, les Aztèques. En 1521, leur suprématie n'était qu'un souvenir et l'hispanisation de la région commençait.

Bien que l'influence espagnole ait bouleversé irréversiblement le paysage culturel de ce qui constitue aujourd'hui le Mexique (mot d'origine aztèque), l'impact des cultures préhispaniques est encore perceptible à travers une riche tradition plusieurs fois millénaire. Les civilisations mésoaméricaines peuvent rivaliser par leur richesse, leur complexité et leur étendue avec celles de l'Europe et de l'Asie. Cela est d'autant plus remarquable qu'en raison de leur situation géographique, elles sont exemptes d'influences extérieures. Leurs acquis dans les domaines du calcul (calendrier, mathématiques), de l'organisation civile, de l'architecture monumentale (pyramides, esplanades cérémonielles, complexes résidentiels) et des arts (sculpture, peinture, céramique, et ornements) sont originaux au sens premier du terme. Malgré la perte de nombreuses sources, les connaissances sur ces sociétés fascinantes progressent, principalement grâce à l'étude des œuvres qui nous sont parvenues.

Molly E. Hennen

Notes

1. Lee Parsons, John B. Carlson et Peter David Joralemon, *The Face of Ancient America : The Wally and Brenda Zollman Collection of the Pre-Columbian Art,* Indianapolis (IN), The Indianapolis Museum of Art, 1988, p. 9.
2. Parsons, Carlson et Joralemon, p. 9 et 10.
3. *Ibidem,* p. 11.
4. Michel Kan, Clement Meighan et H. B. Nicholson, *Sculpture of Ancient West Mexico : Nayarit, Jalisco, Colima,* Albuquerque (NM), University of New Mexico Press, 1989, p. 25.
5. *Body and Soul : Art from Ancient Mexico,* Columbus (OH), Columbus Museum of Art, 2001, p. 13.
6. *op. cit.,* p. 24.
7. Jaime Litvak King, *Ancient Mexico, An Overview,* Albuquerque (NM), University of New Mexico Press, 1985, p. 43.
8. Kathleen Berrin et Esther Pasztory (sous la dir. de), *Teotihuacan : Art from the City of the Gods,* New York, Thames and Hudson, 1994, p. 20.
9. *Ibidem,* p. 17, 29.
10. *Id.,* p. 24, 142.
11. *Id.,* p. 53, 184.
12. Linda Schele et Mary Ann Miller, *The Blood of Kings : Dynasty and Ritual in Maya Art,* New York, George Braziller, Inc., 1986, p. 64.
13. Peter Schmidt, Mercedes de La Garza et Enrique Nalda (sous la dir. de), *Maya,* New York, Rizzoli Books, 1988, p. 79, 81.
14. *Op. cit.,* p. 17.
15. *Id.,* p. 45-55.
16. Karl Taube, *The Albers Collection of the Pre-Columbian Art,* New York, Hudson Hills Press, 1988, p. 144.
17. King, p.103.

Cat. 41

Cat. 42

41
Personnage debout, vers 900-400 av. J.-C.

Mexique, olmèque
Serpentine
H. 10,6 × long. 4,5 × L. 2,5 cm
The Cleveland Museum of Art, don de Mr. et Mrs. James C. Gruener, 1990.219

Le jade et la serpentine, minéralogiquement proches, sont tous deux extrêmement difficiles à tailler. Du temps de la culture olmèque et même après sa disparition, ces objets étaient très estimés dans toute la Mésoamérique. Celui-ci montre quelques-uns des traits caractéristiques de l'homme-jaguar : mains en forme de pattes aux griffes rétractées et bouche aux coins abaissés. Les genoux légèrement fléchis et la position des bras indiquent le suspens qui précède l'action.   **MEH**

42
Personnage masculin debout, 800 av. J.-C.-200 apr. J.-C.

Mexique, olmèque
Serpentine
H. 22,2 × long. 8,9 × L. 7 cm
The Minneapolis Institute of Arts, don de Mr. Alfred Lawrence, 73.44

Les sculptures olmèques, quelle que soit leur taille, s'imposent par leur monumentalité et leur présence, comme ce personnage aux membres robustes, aux fortes et larges épaules. La tête, grosse, est portée par un petit cou. Le visage est long, les traits géométriques, conformément au style olmèque. Les horizontales (les yeux) et les verticales (le nez, les oreilles) s'équilibrent harmonieusement. En raison de ses proportions, cette statuette aurait pu être transposée à une échelle monumentale.   **MEH**

43
Personnage debout, 800-200 av. J.-C.

Mexique, olmèque
Pierre
H. 14 cm
The Saint Louis Art Museum, don de Morton D. May, 379 : 1978

La tête, élément important de l'iconographie chez les Olmèques, est souvent disproportionnée par rapport au reste du corps (jusqu'à un tiers de la taille totale). Ils déformaient le crâne des bébés tant que les os restaient malléables, l'allongeant artificiellement pour le conformer à leurs critères de beauté. La tête de cette figurine illustre tout à fait cette prédilection esthétique.   **MEH**

Cat. 43

44

Enfant ou nain, 900-400 av. J.-C.

Mexique, olmèque
Chlorite
H. 13 cm
Yale University Art Gallery, fonds Stephen Carlton Clark, B.A.
1903. 1973.88.15

Les nains, qui en raison de leur physique passaient pour posséder des pouvoirs spéciaux aux yeux des Olmèques, sont souvent représentés dans des scènes mythologiques ou de chamanisme. On les croyait capables, notamment, de voyager entre l'ici-bas et l'au-delà. Peut-être aussi jouaient-ils un rôle dans les rites destinés à faire venir la pluie. Cette figurine aux membres courts et épais serait donc un nain. Il lui manque cependant quelques particularités physiques présentes sur d'autres pièces, notamment des joues pleines et une coiffure spéciale. En revanche, la bosse ou la charge sur son dos est peu commune. Les Olmèques prêtaient également aux bossus des affinités avec l'autre monde ainsi que la capacité de porter des fardeaux extraordinaires. Selon leurs croyances, deux nains portaient le poids de l'univers en équilibre sur leur dos recourbé. **MEH**

45

**Celt en forme de personnage masqué,
vers 900-500 av. J.-C.**

Mexique, olmèque
Néphrite
H. 27,94 × long. 7,93 × L. 3,81 cm
Dallas Museum of Art, acquisition Dallas Art Association, 1970.18

Les celts de néphrite polie étaient la version cérémonielle d'outils (des haches) employés quotidiennement pour la préparation des grands feux nécessaires à l'accomplissement des rituels. Ils étaient vraisemblablement associés au dieu du maïs – leur forme peut être rapprochée de celle d'un épi vert. Si la plupart sont simplement polis, quelques-uns portent, gravés, des personnages en tenue de cérémonie ou des divinités olmèques, la plus couramment représentée étant le dieu du maïs.

Ce celt figure apparemment un souverain olmèque vêtu d'un costume à motifs d'épis. Les souverains, en tant qu'intercesseurs, jouaient un rôle essentiel dans l'obtention de bonnes récoltes de maïs. La tête et les jambes de profil, sont orientées vers la gauche, alors que le torse, vêtu d'une bande-culotte, est vu de face. Il porte dans sa main gauche un bâton ou sceptre, symbole de son pouvoir temporel ; son pouvoir spirituel est indiqué par le masque à monstre-oiseau et par son énorme coiffe à l'effigie du dieu à l'œil croisillonné. Le profil du haut de la coiffe est celui du dieu du maïs : une pousse lui sort du front. Le symbole du maïs apparaît aussi, inversé, sur le côté droit. Ces attributs complexes, figurés de manière très semblable sur de nombreuses autres pièces, étaient courants chez les dirigeants olmèques. Ce celt illustre peut-être l'avènement au pouvoir d'un seigneur ou d'un prince. **MEH**

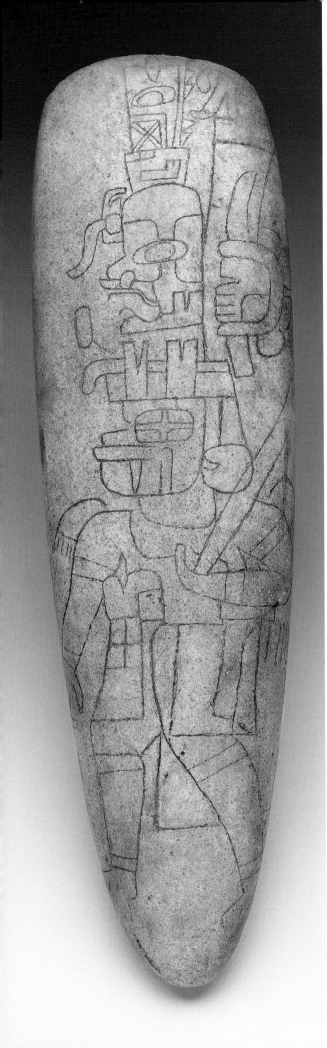

46

**Personnage assis à la crête d'aigle harpie,
1000-500 av. J.-C.**

Mexique, olmèque
Céramique, bitume
H. 31,3 × long. 23,1 × L. 17,8 cm
Virginia Museum of Fine Arts, Richmond, fonds Adolph D. et Wilkins C. Williams, 80.327

Les figurines de ce type, où l'on peut voir un bébé aux joues rondes et au corps plein, avaient vraisemblablement pour les Olmèques un sens autre que simplement descriptif, comme l'indiquent la coiffure évoquant l'aigrette de plumes de l'aigle harpie (*Harpia harpyja*) et les ornements insérés dans le lobe de l'oreille, tous deux insignes de distinction. Des objets de ce genre ont été retrouvés sur un vaste territoire, du Mexique occidental à la côte atlantique et jusqu'au Costa Rica, pour la plupart dans des sépultures. Leur commerce s'étendait donc très loin. Ils sont en argile fine recouverte d'un engobe clair. Leur signification exacte est inconnue ; il pourrait s'agir d'une représentation idéalisée de la création des humains par les dieux, d'êtres surnaturels mi-homme, mi-jaguar, ou de figurations de la fertilité. **MEH**

47
« Bébé » à quatre pattes, 1000-500 av. J.-C.

Mexique, olmèque
Céramique et pigment
H. 16 × long. 21 cm
The Saint Louis Art Museum, don de Morton D. May, 208 : 1979

La représentation d'activités physiques est rare dans l'art olmèque et, la plupart du temps, ces figurines creuses de « bébé » sont en position assise d'où le caractère assez insolite de cette attitude. L'engobe blanc est pigmenté de rouge à la bouche, sur la crête, sur les ornements d'oreille et les épaules. Par les trous de chaque côté était passée une baguette de bois qui, avant d'être brûlée lors de la cuisson, stabilisait la figurine dans le four.   **MEH**

48
Pot incisé, vers 1200-900 av. J.-C.

Mexique, olmèque
Céramique
H. 11,7 × diam. 13,2 cm
The Cleveland Museum of Art, don de Samuel Merrin, 1990.44

La poterie incisée de symboles religieux propres aux Olmèques est présente sur toute l'étendue de leur aire d'influence culturelle. Si le dieu dragon est le plus souvent représenté, d'autres divinités peuvent apparaître. Les autres poteries incisées de motifs religieux sont les flacons, les cruches et les *tecomates* (vases globulaires à ouverture ronde sans col).   **MEH**

Cat. 46

49

Homme assis, 50-500

Mexique, Teotihuacán
Néphrite
H. 18 × long. 8,5 × L. 6,5 cm
Yale University Art Gallery, don de Peggy et Richard Danziger,
LL.B. 1963, 1986.134.7

Cette pièce montre la persistance de l'influence olmèque sur les civilisations ultérieures. À Teotihuacán, l'art de l'époque archaïque est à la fois rare et différent de ce que révéleront les nombreuses pièces plus tardives. Le personnage assis aux joues pleines et aux yeux obliques semble à première vue de style olmèque, mais la bouche arrondie, dont les coins ne sont pas abaissés (moue olmèque), est plus réaliste, et l'ensemble revêt un caractère géométrique marqué. L'attitude, genoux remontés contre la poitrine et les bras posés dessus, indique le repos. **MEH**

50

Personnage debout, vers 200-600

Mexique, Teotihuacán
Jadéite vert sombre
H. 19,3 cm
The Saint Louis Art Museum, don de Morton D. May, 264 : 1978

La sculpture figurative de Teotihuacán est massive et géométrique, les traits sont indiqués en bas-relief. Son matériau est très souvent le jade, prisé par cette culture. Comme sur les masques qu'elle a produits, les visages ont les yeux allongés et la bouche ouverte. Ils sont ici légèrement écrasés et verticalement aplatis. Le bandeau et les bijoux d'oreille sont également typiques de Teotihuacán. Les rainures horizontales au niveau de la taille indiquent une ceinture ou une bande-culotte. Les jambes sont séparées par un trait de scie, et de simples entailles, mais profondes, marquent les bras serrés contre le corps. L'arrière des genoux est entaillé pour indiquer une légère flexion, ce qui suggère un mouvement gelé ou l'instant précédant l'action, attitude caractéristique de la première manière, d'influence olmèque. **MEH**

51
Masque funéraire, 300-600

Mexique, Teotihuacán
Basalte noir poli
H. 20 × long. 19,8 × L. 8,5 cm
The Saint Louis Art Museum, acquisition, 5 : 1948

Bien que les masques funéraires soient communs à toute la
Mésoamérique, on a trouvé à Teotihuacán plus de
masques de pierre que partout ailleurs. La plupart ont en
commun un front large, une arcade sourcilière formée par
la jonction du front avec le reste du visage, les yeux et la
bouche parallèles et ouverts sur des incrustations le plus
souvent perdues, des joues et des lèvres lisses. Le nez, fort,
est droit ; les oreilles sont percées pour recevoir des bijoux.
Cette pièce est représentative du genre. Les yeux et la
bouche sont profondément creusés (les incrustations manquent), les traits sont marqués et réguliers, les narines
comme les lobes des oreilles sont percés pour qu'y soient
insérés des ornements. L'arrière du masque a été évidé
pour l'alléger, et cinq trous sur les bords permettaient de
l'attacher. Même s'ils sont évidés, la plupart des masques
n'ont pas les yeux percés, ce qui suggère qu'ils n'étaient
pas portés lors de rituels, mais fixés à des offrandes funéraires ou à des statues.   **MEH**

52
Masque, 200-500

Mexique, Teotihuacán
Marbre à calcite et onyx
H. 13,2 × long. 12 × L. 6,8 cm
Yale University Art Gallery, collection Katharine Ordway,
1980.13.17

Les masques de Teotihuacán ont été taillés dans toutes
sortes de minéraux, néphrite, calcite, basalte et granite. La
plupart ont été mis au jour le long de l'allée des Morts (voir
ill. 4 p. 74), au centre de la ville. Les perforations indiquent
qu'ils étaient accrochés, très vraisemblablement par-dessus
les visages des dieux à l'occasion de cérémonies. Cette
pièce comporte aussi des perforations dans les coins des
yeux et dans le lobe des oreilles, où des incrustations et des
bijoux prenaient place. Il se peut qu'il ait été peint pour
paraître plus vivant. Les traits présentent une sensibilité
insolite. La bouche et les sourcils, en particulier, donnent
au visage une douceur rare dans les masques de cette civilisation.   **MEH**

53
Vase à l'acrobate, 200 av. J.-C.-300 apr. J.-C.

Mexique, colima
Céramique
H. 24 cm
The Saint Louis Art Museum, don de Morton D. May, 325 : 1978

Les artistes colimas ont produit des céramiques montrant des contorsionnistes nus ou habillés pratiquant des exercices de « souplesse arrière » et portant habituellement une coiffe ou une coiffure. La signification en est inconnue, mais on pense qu'il pourrait s'agir de danses exécutées lors de cérémonies religieuses ou de figures pratiquées au jeu de balle traditionnel. **MEH**

54
Homme debout, 100 av. J.-C.-300 apr. J.-C.

Mexique, colima
Céramique
H. 14,6 × long. 7,6 × L. 2,9 cm
The Minneapolis Institute of Arts, don de Lucille et Arthur Weiss, 83.161.20

Ce sont là trois exemples d'une autre forme de sculpture colima : figurines plutôt plates, pleines plus souvent que creuses, enduites d'une fine barbotine blanche qui les fait paraître plus claires que le rouge brique des céramiques traditionnelles. Elles montrent souvent des hommes et des femmes en action, bras et pieds fléchis, parés de coiffures, de joaillerie et, comme on le voit sur deux d'entre elles, d'une ceinture ou d'un sac. **MEH**

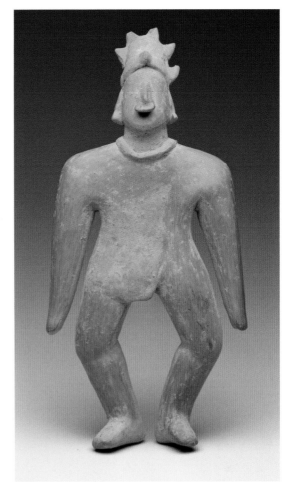

55

Homme debout, 100 av. J.-C.-300 apr. J.-C.

Mexique, colima
Céramique
H. 15,2 × long. 9,5 × L. 2,9 cm
The Minneapolis Institute of Arts, don de Lucille et Arthur Weiss,
83.161.21

56

Homme debout, 100 av. J.-C.-300 apr. J.-C.

Mexique, colima
Céramique
H. 19,7 × long. 10,2 × L. 2,5 cm
The Minneapolis Institute of Arts, don de Lucille et Arthur Weiss,
83.161.22

Cat. 57

57

Danseur costumé, vers 300-500

Mexique, colima
Céramique
H. 26,5 cm
The Saint Louis Art Museum, don de Morton D. May, 226 : 1978

58

Danseur costumé, 350-100 av. J.-C.

Mexique, colima
Céramique
H. 24 cm
The Saint Louis Art Museum, don de Morton D. May, 336 : 1978

Ces deux figurines pleines, laborieusement assemblées à la main, portent un costume recherché. Le personnage de gauche porte, rabattue sur le visage, une coiffure à plumes semi-circulaire et, fixée à son dos, une perche ornée dont la base comporte une large roue de plumes. Sa tunique elle-même semble composée de plumes. Ses jambes sont recouvertes d'un pantalon, et ses chevilles ornées d'anneaux à perles. On ne sait pas vraiment pourquoi ses bras se terminent par des plateaux plutôt que par des mains. Le personnage de droite porte une coiffure à aigrette, apparemment composée de roseaux creux. Au bas de celle-ci, une gueule de crocodilien est harnachée sur le visage du danseur. Des lanières ornées de perles, d'où pendent des cylindres creux, se croisent sur son torse. Il porte aussi une sorte de kilt et un pantalon à armature de cerceaux. Les mains sont percées de trous destinés à recevoir probablement des crécelles ou des clochettes.

Dans certains contextes cérémoniels, les guerriers étaient appelés à danser, qu'il s'agisse d'un rite d'initiation ou, peut-être, d'un tour d'honneur après des exploits. Les masques et les attributs employés rituellement avaient aussi le pouvoir de muer l'homme en l'esprit d'un dieu, noyant donc son individualité en une entité surnaturelle et donnant ainsi à la divinité une vie sensible. **MEH**

59
Cruche en forme de chien, 100 av. J.-C.-100 apr. J.-C.

Mexique, colima
Céramique
H. 36,6 × long. 38,7 × L. 19,1 cm
The Minneapolis Institute of Arts, fonds John R. Van Derlip, 47.2.21

Le chien, dans l'art de l'ancien Mexique, possède une signification religieuse importante. On le croyait lié au monde souterrain, où il guidait l'être humain après sa mort, plus particulièrement le chien dont la peau est plissée, en raison de sa ressemblance au dieu des « enfers », très ridé. L'iconographie rapproche également l'animal du dieu de la pluie ou de l'orage, dont il est le serviteur (l'art mésoaméricain l'associe en outre aux maladies, aux difformités et aux jumeaux). Cette pièce, mise au jour dans une sépulture, avait très vraisemblablement été placée près du mort pour lui servir de guide dans l'au-delà. **MEH**

60
Chien, 100-300

Mexique, colima
Céramique
H. 24,1 × long. 15,4 × L. 33,2 cm
The Minneapolis Institute of Arts, don du Dr et Mrs. John R.
Kennedy, 99.57.3

Dans le Mexique ancien, le chien est aussi lié à la nourriture. Le bétail étant rare en Mésoamérique, de petits chiens étaient élevés pour répondre aux besoins alimentaires. L'animal était engraissé et abattu très probablement à l'occasion de festins ou d'offrandes rituelles, et non consommé comme une viande ordinaire. Les figurines de chiens, mises au jour dans des environnements évoquant un rang social élevé, symbolisent la richesse et l'abondance. **MEH**

61

Cruche en forme de canard, 200-600

Mexique, colima
Céramique
H. 21,6 cm
The Minneapolis Institute of Arts, don de Lucille et Arthur Weiss, 82.136.24

Les artistes colimas ont tiré parti du symbolisme mythologique que le canard possède dans leurs croyances. Capable de voler sur des longues distances et de plonger profondément sous l'eau, il est l'intermédiaire des royaumes céleste, terrestre et aquatique, entreprenant des tâches hors de la portée des humains. On rencontre souvent les canards par paires dans la poterie colima, d'où l'aspect insolite de cette pièce, qui ne figure qu'un seul oiseau.   **MEH**

62

Vase en forme de tortue, 100 av. J.-C.-250 apr. J.-C.

Mexique, colima
Céramique
H. 21,3 × long. 34,9 × L. 26 cm
The Minneapolis Institute of Arts, don de Lora et Martin Weinstein en mémoire de John O. Meekin, 95.101.1

Les tortues, qui jouent un grand rôle dans la culture colima, apparaissent souvent dans divers contextes : musiciens jouant de tambours faits dans une carapace, vêtements chamaniques ornés de pendentifs d'écaille. On suppose que l'animal était associé au monde des morts.   **MEH**

63

Bol tripode à pattes de perroquet, 300 av. J.-C.-100 apr. J.-C.

Mexique, colima
Céramique
H. 22,9 × long. 29,2 × L. 29,2 cm
The Minneapolis Institute of Arts, don de Ruth et Bruce Dayton, 92.85.20

Les vases ronds sur trois pieds sont courants dans l'art de Colima, qui privilégie les récipients aux contours simples inspirés de formes végétales : ici, une courge (citrouille, en l'occurrence), culture alimentaire importante de l'ancien Mexique. Les perroquets, oiseaux relativement rares et recherchés pour leurs plumes, renvoient à un rang social élevé. Ils possédaient également un caractère sacré qui en faisait les symboles de l'étoile du matin et du maïs nouveau : le choix de cet élément décoratif est donc significatif. L'association des deux éléments, végétal et animal, doit probablement se comprendre comme une évocation de la fertilité.   **MEH**

64
Guerrier, 100 av. J.-C.-500 apr. J.-C.

Mexique, jalisco
Céramique
H. 53,3 × L. 24,1 cm
The Minneapolis Institute of Arts, fonds John R. Van Derlip, 47.2.24

Le guerrier tient un casse-tête à manche en bois et à masse de pierre, d'un modèle courant dans le Mexique occidental. Il est coiffé d'un casque surmonté de deux divinités tutélaires en forme de chien et non de cornes, comme à l'ordinaire. Ce casque montre qu'il a des pouvoirs chamaniques, de même que son attitude, indiquant qu'il va frapper à gauche. Il est protégé par un armure ronde, habituellement en vannerie et rembourrée de tissu ou de coton. Bien que celui-ci semble assis sur un tabouret, les personnages de guerriers sont les plus dynamiques, par leur attitude, de l'art de Jalisco qui privilégie les poses statiques. Les figurines de guerrier semblent jouer le rôle de gardien du défunt.   **MEH**

65
Femme debout, 100 av. J.-C.-250 apr. J.-C.

Mexique, nayarit
Céramique et pigment
H. 58,4 cm
Yale University Art Gallery, fonds Stephen Carlton Clark, B.A.1903, 1973.88.28a

66
Homme debout, 100 av. J.-C.-250 apr. J.-C.

Mexique, nayarit
Céramique et pigment
H. 60 cm
Yale University Art Gallery, fonds Stephen Carlton Clark, B.A.1903, 1973.88.28b

Si la céramique nayarit est plus connue pour ses petites céramiques pleines, certaines pièces creuses ont des dimensions remarquables, tel cet impressionnant couple représentatif de ce type de figure. Il était chargé de veiller sur l'esprit du mort. Leur coiffe conique passait pour éloigner le mal. Les vêtements de l'homme et de la femme, sans doute proches de ce que les gens portaient dans la vie quotidienne, sont conçus de manière à se compléter : le tissu du sac de la femme et la tunique de l'homme présentent un motif semblable, contrastant avec celui de la jupe. La tête de l'homme est couverte de la peau d'un carcajou (blaireau américain), animal lié à la médecine. Les deux personnages ont les oreilles et le nez percés par des bijoux et portent des colliers. La femme tient un pot contenant de l'eau ou de la nourriture ; l'homme, un couteau et une lance, prêt à frapper. Ces attributs sont révélateurs des principaux rôles attribués à chaque sexe.   **MEH**

Cat. 65

Cat. 66

Femme assise aux enfants, 100 av. J.-C.-250 apr. J.-C.

Mexique, nayarit
Céramique et pigment
H. 21 cm
Yale University Art Gallery, fonds Stephen Carlton Clark, B.A.1903,
1973.88.33a

Cette femme agenouillée, vêtue de manière recherchée (tunique décorée, coiffure, bijoux et peinture corporelle) représente probablement l'ancêtre d'un lignage. Deux petits personnages qui ressemblent à des enfants sont assis sur ses genoux et se font face à un bol de nourriture. En fait, ils incarnent symboliquement ses descendants qu'elle nourrit. Cette pièce faisait peut-être partie d'un couple. Dans l'art nayarit, ces représentations renvoyaient moins à l'évocation d'époux qu'à celle des ancêtres, perçus comme l'alliance des forces masculine et féminine, créatrice du monde. **MEH**

Scène d'intérieur avec perroquets, 100 av. J.-C.-250 apr. J.-C.

Mexique, nayarit
Céramique et pigment
H. 21.5 × long. 18,5 × L. 15 cm
Yale University Art Gallery, fonds Stephen Carlton Clark, B.A.1903,
1973.88.27

Les scènes collectives forment un genre à part dans l'art nayarit. La plupart ont pour théâtre la maison telle qu'elle existait à l'époque, c'est-à-dire, habituellement, sur deux niveaux : un étage supérieur réservé aux vivants, aux activités quotidiennes, et un niveau inférieur figurant le monde souterrain, où les ancêtres défunts se livrent à des occupations qui reflètent étroitement celles de vivants – les deux domaines n'étaient séparés que par une frontière ténue. Dans cette céramique, en revanche, la maison est sur un seul niveau, mais en deux parties. Au centre, un mourant ou un mort, dans la grande pièce, est étendu sous des couvertures. Cinq autres personnages, légèrement plus petits, le veillent. Des perroquets sont perchés sur les murs. Leur présence signifie la régénération, car le vert et jaune de leur plumage était associé à la pousse du maïs et au pouvoir du Soleil. Le peuple de Nayarit croyait qu'au moment de la création du monde les dieux étaient accompagnés de perroquets et que les plumes de ceux-ci décoraient le bol de la déesse de la Lune. **MEH**

69

Groupe au *volador*, 100 av. J.-C.-250 apr. J.-C.

Mexique, nayarit
Céramique et pigments
H. 28,6 × diam. 18,4 cm
Yale University Art Gallery, don de Mr. et Mrs. Fred Olsen,
1959.55.18

Cette scène de groupe représente la cérémonie du *volador*
(en espagnol, le « volant »), où un acrobate mime la descente d'un oiseau, du ciel vers la terre. L'homme, qui porte
une coiffe de plumes, est attaché par une corde enroulée
en spirale au sommet d'un poteau qui domine les maisons.
Il bat des bras et des jambes comme s'il volait. L'assistance,
en vêtements et coiffures recherchés, regarde. L'homme va
voler en cercles, tant que la corde se déroule, jusqu'au sol.
La cérémonie était vraisemblablement la commémoration
d'un événement cosmologique. Les personnages semblent
saisis dans le vif de l'action, finement et précisément
modelés. Le tout atteste une grande habileté dans la composition.   **MEH**

70

Homme debout, 600-800

Mexique, maya
Céramique et pigments
H. 25,55 × long. 7,77 × L. 12,06 cm
Dallas Museum of Art, don de William I. Lee, 1984.211

Des petites sculptures de nobles ou de guerriers dans le
style de cette pièce sont fréquentes dans l'île de Jaina, territoire vraisemblablement sacré, peut-être même utilisé
comme un vaste cimetière, ce que semble indiquer le
nombre inhabituellement élevé de sépultures et d'objets
funéraires retrouvés. Les figurines présentent quelques
traits communs qui font penser qu'elles ont été produites
non loin de cet endroit pour servir d'offrandes. Elles étaient
peintes de couleurs vives, surtout de bleu, dont il subsiste
quelques traces, comme sur cette pièce. Celle-ci représente
un guerrier au bras droit tendu, vêtu d'un pagne; sa coiffure, ses bijoux d'oreille, son épaisse collerette ornementale, son pendentif, ses anneaux de cheville indiquent un
rang social élevé.   **MEH**

Femme assise cuisinant avec un chien, 600-900

Mexique, maya
Céramique
H. 19,1 cm
Yale University Art Gallery, fonds Stephen Carlton Clark, B.A.1903,
1973.88.4

Cette représentation d'une noble maya montre bien les
liens qu'entretient la culture maya actuelle avec celle de
l'époque classique. La femme est vêtue du *huipil* (corsage)
et du turban des Mayas modernes. Sous le regard attentif
d'un petit chien, elle prépare des *tamales* ou gâteaux de
maïs cuits à la vapeur. L'imposant collier et les bijoux
d'oreille indiquent son appartenance à une classe élevée de
la société.   **MEH**

72

Homme en pagne, 600-900

Mexique, maya
Céramique et pigment
H. 16,5 cm
The Saint Louis Art Museum, don de Morton D. May, 138 : 1979

La jupe et le tablier teints de pigment noir ne doivent pas
faire croire qu'il s'agit d'une femme. Les ornements des
joues et la pilosité (barbe en bouc) indiquent bien un guerrier. Paré d'une coiffure spéciale, de bijoux d'oreille et d'un
pectoral, il est assis, sévère, jambes et bras croisés. Ces
figurines de style jaina, modelées à la main, pleines, étaient
vraisemblablement des offrandes funéraires.   **MEH**

73

Vase funéraire, 700-800

Mexique, maya
Céramique et pigments
H. 23,7 × diam. 14,2 cm
Virginia Museum of Fine Arts, Richmond, fonds Adolph D.
et Wilkins C. Williams, 77.98

Ce vase peint est représentatif du style maya polychrome tardif, dont il possède tous les traits : forme cylindrique élancée, peinture figurative détaillée et glyphes qui non seulement identifient les personnages, mais décrivent ce qu'ils font (y figure aussi le nom de l'artiste). Les personnages sont le plus souvent montrés de profil, ce qui était, pensait-on, leur aspect le plus flatteur. Le clair-obscur, manière de restituer le modelé tridimensionnel, était jugé de peu d'importance dans les œuvres en deux dimensions. Les Mayas peignaient à l'aide de pinceaux en poil, semblables à ceux des calligraphes chinois. Ils employaient de nombreuses couleurs, mais surtout une combinaison de rouge orangé, de crème, de jaune et de noir.

Ce vase devait faire partie d'un mobilier funéraire et la scène qu'il montre se rapporte au monde souterrain et à la mort. Le personnage juvénile assis à gauche, peut-être l'un des jumeaux légendaires qui vainquirent les seigneurs des enfers au jeu de balle, fait une offrande au dieu plus âgé assis à droite dans un dais. Il s'agit du dieu N, envisagé ici comme l'un des deux seigneurs suprêmes du monde souterrain, l'autre étant la déesse de la Lune, assise près de lui. Le dieu N se penche en avant, comme pour accepter l'offrande.

MEH

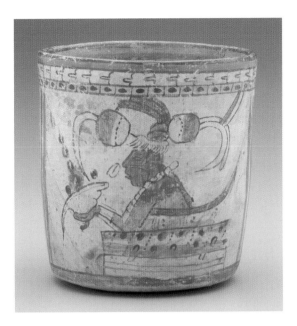

74
Vase aux scribes, 600-900

Mexique, maya
Céramique et pigments
H. 13,3 cm
Yale University Art Gallery, fonds Stephen Carlton Clark, B.A.1903,
1973.88.1

Les personnages sont des scribes mayas, pot de peinture
en main, prêts à écrire, assis derrière des manuscrits en
accordéon couverts de peau de jaguar. Les scribes jouaient
un rôle important dans la société maya et leur statut équi-
valait celui de la noblesse. Ils inscrivaient leur nom (malheureusement absent ici) sur la plupart de leurs travaux à
côté de celui des souverains.   **MEH**

75
Parure, vers 600-900

Honduras, maya
Jade
H. 7,7 × L. 3,8 cm
The Cleveland Museum of Art, don de Mrs. R. Henry Norweb
en mémoire de sa tante, Delia Holden White, 1947.176

Aux grandes occasions, la noblesse maya portait des vêtements recherchés, composés de plusieurs éléments, notamment des ornements et des parures de jade qui ont été
trouvés dans des contextes assez différents. Ce bijou était
très probablement le pendentif central d'un collier de perles
de jade ou un élément d'une coiffure compliquée. On y voit
un noble portant de lourds bijoux d'oreille et une coiffure
qui évoque celle du dieu du Soleil à cause de la forme des
yeux et du nez, et du miroir figuré sur le front. Ce dieu, le
plus puissant du panthéon maya, conférait à celui qui en
était revêtu un grand prestige.   **MEH**

76

Masque miniature en mosaïque, vers 600-900

Mexique, maya
Jade
H. 5,1 × long. 3,8 × L. 1,9 cm
Virginia Museum of Fine Arts, Richmond, fonds Adolph D. et Wilkins C. Williams, 82.14

Traditionnellement, les Mayas utilisaient leurs masques pour les cérémonies. Si, selon leurs croyances, la personne qui portait le masque incarnait la divinité que celui-ci représentait, ils faisaient bien la distinction entre un personnage masqué et le dieu lui-même. Des exemplaires de petite taille, comme celui-ci, servaient d'ornement intégré à une parure plus importante. Il se compose de petites pièces de jade assemblées, les cinq trous du haut servant à le suspendre. **MEH**

77

Plaque à la divinité, 300-600

Mexique, maya
Jade
H. 9 × long. 7 cm
The Cleveland Museum of Art, collection Norweb, 1951.159

Les ornements de jade, couramment portés par les membres des classes supérieures de la société, sont présents dans l'iconographie maya, notamment en peinture. Ils font également partie des trésors funéraires. Cette plaque de jade montre un homme âgé portant une conque sur son dos : il s'agit probablement du dieu N, divinité qui peut revêtir différentes formes. Sous son aspect jeune, il supporte le poids du ciel, mais quand il personnifie comme ici l'un des « dieux âgés » du monde souterrain, Pauahtun, il sort d'un coquillage ou en porte un sur la poitrine. Pauahtun est, par ailleurs, le dieu de l'écriture et des arts. **MEH**

78

Parure, 250-900

Mexique, maya
Jade
H. 4,8 × L. 2,6 cm
The Cleveland Museum of Art, fonds John L. Severance, 1949.19

De telles plaques faisaient partie d'un collier, à moins qu'elles ne soient fixées aux vêtements ou à la chevelure. On y voit un guerrier assis, lui-même paré de sa coiffe, de ses bijoux d'oreille et de sa ceinture, habilement sculpté dans ce matériau, très précieux. Le trou de suspension se trouve en bas, dans la jambe du personnage, ce qui implique qu'il était porté la tête en bas. Le jade, très recherché par les élites mayas, était le signe de leur richesse et de leur distinction. **MEH**

Cat. 77

Cat. 78

Plaque d'oreille, 50-450

Mexique, maya
Coquillage, cinabre
H. 5 × long. 4,1 cm
Yale University Art Gallery, fonds Mr. and Mrs. Allen Wardwell,
B.A. 1957, 1991.45.1

Les membres de l'élite maya portaient, en de grandes
occasions, des coiffures très ornées sur lesquelles étaient
accrochés toute sorte d'ornements, notamment des bijoux
analogues à ceux insérés dans le lobe de l'oreille. Sur celui-
ci, est représenté, à l'intérieur de la tête d'un être surnaturel, celle d'un homme, peut-être un ancêtre important.
Il apparaît englobé par cette créature à la coiffure très élaborée.   **MEH**

Plaque d'oreille, 50-450

Guatemala, maya
Coquillage
H. 4,8 cm
Yale University Art Gallery, don de Mr. et Mrs. Allen Wardwell,
B.A. 1957, 1988.91.1

Ce bijou montre une tête humaine sortant de la bouche
d'un monstre squelettique barbu. De l'homme, on ne voit
guère que les yeux, la bouche et la dentition limée. Cependant, son souffle sort de la gueule du monstre en une
longue volute. Des lignes brisées évoquant des fontanelles
marquent les os crâniens du monstre. Il est probable que
ce bijou d'oreille faisait partie d'une coiffure complexe.

                                                          MEH

Masque de divinité (dieu jaguar), 200-600

Mexique, maya
Pierre
H. 18,4 × long. 17,8 × L. 7 cm
The Minneapolis Institute of Arts, fonds Putnam Dana McMillan,
99.3.1

Les masques, en pierre, en bois ou en cuivre, étaient
portés par les membres des classes supérieures lors de
certaines cérémonies; dès lors, devenant eux-mêmes la
divinité, ils pouvaient entrer en communication avec le
monde des esprits. Celui-ci, en pierre et aux yeux non
troués, était vraisemblablement destinée à une sépulture.
Le dieu jaguar, associé à la nuit, aux ombres, à la guerre et
aux sacrifices, était l'un des plus puissants du panthéon
maya. Il est ici reconnaissable aux trois points sur l'une et
l'autre joue du masque qui évoquent les taches de la robe
du félin (voir aussi cat. 85).   **MEH**

82
Vase tripode gravé, 600-900

Honduras, maya
Marbre blanc
H. 11 × diam. 18 cm
The Saint Louis Art Museum, don de Morton D. May, 213 : 1979

Les vases de pierre gravés de ce style sont rares chez les Mayas. Celui-ci est en marbre dit *tecali,* du nom de la région montagneuse du Mexique où il a été extrait. Il est sculpté de bas-reliefs et ses bords sont ornés de volutes dites « faux glyphes ». Le centre du décor présente un visage masqué surnaturel aux dents proéminentes, entouré de motifs d'écailles. Les poignées, en haut relief, sont des créatures dotées de crocs et d'un long museau. Selon les sources historiques, le centre de production de ces vases était la vallée de l'Ulua, d'où ils étaient acheminés dans tout le pays maya. **MEH**

83
Bol incisé, 600-1000

Mexique, maya
Céramique
H. 12 × diam. 16 cm
The Cleveland Museum of Art, don de Samuel Merrin, 1990.173

Ce bol est d'un style peu courant, dit *chochola,* du nom d'un petit village d'où, croyait-on, il était issu. Remarquables par leur couleur unie et par les décors profondément incisés, ils existaient en trois modèles différents : le bol (le plus courant), le gobelet et le vase cylindrique. L'iconographie des décors, particulièrement interressante, recourt aux thèmes de la religion et du pouvoir royal. Alors que la plupart d'entre eux ne présentent qu'une seule image entourée de cartouches à motifs de plantes grimpantes ou lis celui-ci en a une sur chaque côté. Les parties évidées du cartouche étaient peut-être remplies de plâtre et peintes pour donner de la vie au décor. Les glyphes qui courent tout le long du bord sont aussi un élément inhabituel : sur les modèles courants, ils sont disposés en diagonale, à l'opposé du cartouche. Non traduits sur cette pièce, les glyphes évoquent habituellement l'*atole,* breuvage sucré à base de graines de céréales, parfumé aux fruits et au piment. Ces bols font partie du mobilier funéraire, destinés à l'alimentation des morts dans l'au-delà.

MEH

84
Vase au serpent, 600-900

Mexique, maya
Céramique
H. 15,55 cm
The Minneapolis Institute of Arts, don de Mr. Cedric Marks, 71.61.3

Ce vase doucement évasé est décoré de motifs incisés évoquant le serpent. Le dessin est renforcé par endroits à l'aide
de pigment noir, dans un but esthétique ; des glyphes courent le long du bord extérieur, séparés par des éléments
décoratifs en forme de colonne. Les serpents, souvent veni-
meux, étaient assez abondants dans le milieu naturel et
leur figuration, combinée à des traits humains et à des
attributs surnaturels, est fréquente dans l'art maya.   MEH

85
Vase avec quatre singes, 450-700

Mexique, maya
Céramique et pigments
H. 23,01 × diam. 11,43 cm
The Minneapolis Institute of Arts, The David Draper Dayton Fund,
2000.195

Cette scène illustre probablement un récit maya à trans-
formations, dans lequel, justement, deux demi-frères sont
transformés en singes. Les traits de ceux-ci sont très
humains et expressifs. Une femelle tient une cabosse de
cacaoyer, tandis qu'un jeune, sur son dos, maintient son
équilibre et s'appuyant sur sa tête. Un autre grand singe
(non visible sur la reproduction) balance un jeune avec sa
queue. Le motif du fond, trois points dans un cercle,
évoque le jaguar (voir cat. 81), animal royal chez les
Mayas, mais auquel le singe hurleur, par la sonorité fauve
de son cri, était couramment associé. La série de glyphes
rouges, le long du bord, énumère les noms de hauts personnages mayas. La présence du jaguar suggère que ce
vase appartenait à un membre des classes supérieures de la
société.   MEH

86
La déesse du maïs, Chicomecoatl, vers 1400-1521

Mexique, aztèque
Pierre et pigment
H. 37 cm
The Saint Louis Art Museum, don de Morton D. May, 291 : 1978

Sur cette statuette, la déesse du maïs, Chicomecoatl, porte une coiffure étagée surmontée de quatre médaillons – deux à l'avant, deux à l'arrière – avec un élément saillant au centre. Elle tient deux paires d'épis de maïs mûr, avec leur glume, dans ses mains tendues. La statuette est massive, les deux grands pieds bien lourds reposant sur un support plat. Depuis l'époque olmèque, les divinités du maïs ont continué à avoir une importance particulière en Amérique centrale, cette graminée formant toujours une partie essentielle de l'alimentation avant la conquête.   MEH

87
Personnage assis, 1200-1500

Mexique, aztèque
Pierre volcanique
H. 48,3 × diam. 17,8 cm
The Fine Arts Museums of San Francisco, don du professeur et Mrs. Erle Loran, 74.25.1

Le style aztèque a une tendance à la raideur, au manque de vivacité. Le porte-étendard assis devait faire partie d'une paire placée au bas d'un escalier ou de part et d'autre d'une porte de temple. Sa main droite est creusée pour recevoir la hampe d'un drapeau lors de cérémonies, tandis que son bras gauche repose sur ses genoux remontés. La technique est plutôt grossière et son visage, vide de toute expression ou de personnalité, semble regarder dans le vide.   MEH

88

Guerrier, 1400-1519

Mexique, aztèque
Or
H. 11,2 × L. 6,01 cm
The Cleveland Museum of Art, fonds Leonard C. Hanna, Jr.,
1984.37

L'orfèvrerie a été introduite au Mexique vers 900, par l'intermédiaire du commerce avec les civilisations du Sud, et peut-être par des orfèvres venus de ces régions à la recherche de nouveaux marchés. En effet, toutes les techniques américaines – fonte à la cire perdue, filigrane, et faux filigrane – sont apparues subitement et simultanément, sans phase préalable d'expérimentation. Malgré la similitude des techniques, l'orfèvrerie mexicaine présente une réelle originalité stylistique. Dominants socialement et politiquement, les Aztèques adoptèrent ce type d'ornements prestigieux, dont ils se couvraient littéralement chaque fois qu'ils devaient faire montre de leur richesse et de leur pouvoir. Les Espagnols furent impressionnés non seulement par l'abondance du métal précieux, mais aussi par sa mise en œuvre à la fois délicate et naturelle. La plupart de ces ornements, dont bien des pièces, pourtant, défiaient l'habileté des orfèvres européens, furent fondus dès qu'ils tombaient aux mains des conquérants, sous prétexte qu'il s'agissait d'images païennes et maléfiques (en fait pour financer leur cause). Ceux qui ont échappé à la fonte sont donc assez rares. L'imagerie animale y est plus présente que la figure humaine. Cependant, cette pièce montre un guerrier aztèque avec tout son équipement : coiffure en pétales, bijoux d'oreille et de nez, ceinture avec des pendentifs en or et anneaux aux jambes. Il tient des instruments rituels, dans sa main droite un sceptre à clochettes, dans sa main gauche un bouclier et des flèches. Son visage est dans son ensemble conforme au style influencé par Teotihuacán : arcades sourcillières très marquées, grands yeux en amande, large nez triangulaire, bouche saillante. Dans le milieu évidé du corps était probablement insérée une pierre précieuse, destinée à marquer l'importance du cœur. **MEH**

89

Tzute **(tissu de transport), xxe siècle**

Guatemala, maya
Coton et acrylique
Long. 139,7 × L. 67,9 cm
The Minneapolis Institute of Arts, don de Roberta and Richard Simmons, 88.103.14

90

Banda **(écharpe d'homme), xxe siècle**

Guatemala, maya
Coton
Long. 363,22 × L. 30,48 cm
The Minneapolis Institute of Arts, don de Richard L. Simmons en mémoire de Roberta G. Simmons, 95.116.27

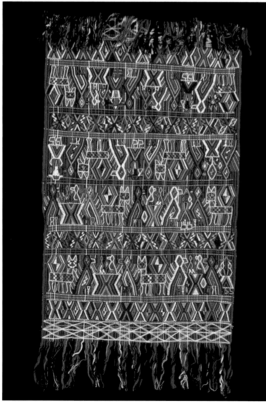

Cat. 89

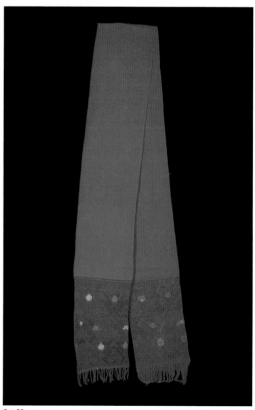

Cat. 90

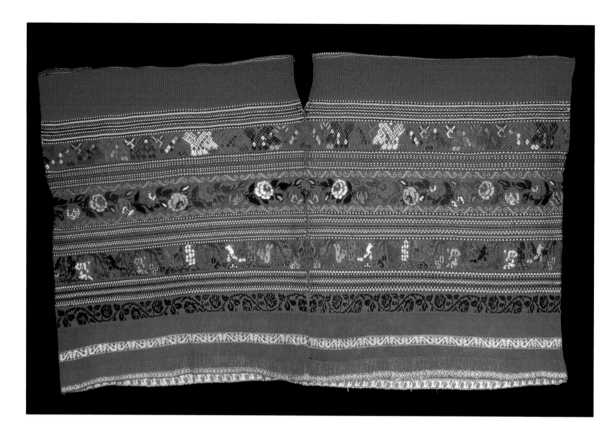

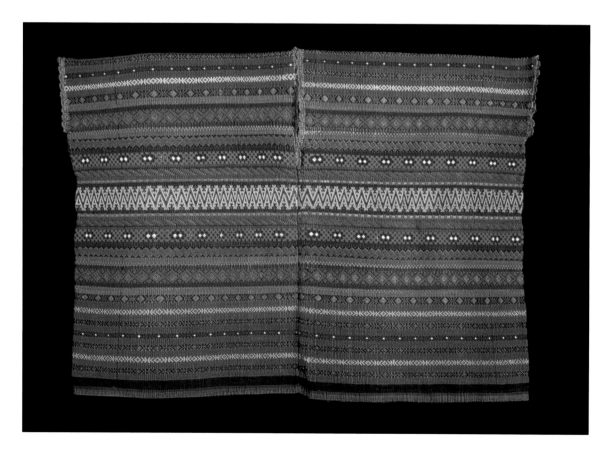

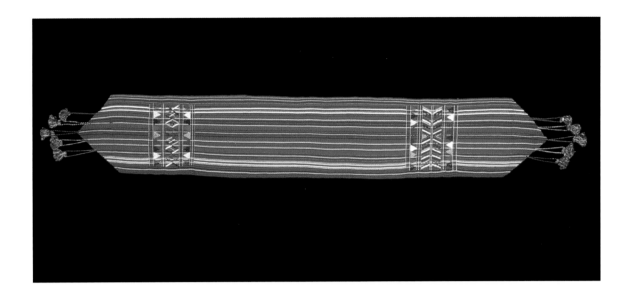

91
Huipil (corsage), vers 1950

Guatemala, maya
Coton et soie
Long. 62,2 × L. 99,1 cm
The Minneapolis Institute of Arts, don de Richard L. Simmons
en mémoire de Roberta Goldberg Simmons, 94.106.17

92
Huipil (corsage), vers 1955

Guatemala, maya
Coton
Long. 52,1 × L. 73,7 cm
The Minneapolis Institute of Arts, don de Richard L. Simmons,
99.245.15

93
Cinta (bandeau), XXᵉ siècle

Guatemala, maya
Coton
Long. 321,31 × L. 44,45 cm
The Minneapolis Institute of Arts, don de Richard L. Simmons
en mémoire de Roberta Goldberg Simmons, 94.106.13

L'art du tissage, très ancien en Mésoamérique, était pratiqué par les femmes, qui utilisaient le métier du type dit « à sangle dorsale », fixé par une extrémité à un arbre ou à un poteau de la maison, tandis que l'autre extrémité est immobilisée soit par le poids du corps, soit par une sangle passée derrière le dos, ce qui permet, en modifiant sa position, de régler la tension de la chaîne. Le tissu ainsi produit était donc, approximativement, aussi large ou moins large que le corps de l'artisan. Les grandes pièces se composaient de bandes cousues ensemble. Ces métiers sont encore utilisés aujourd'hui au Mexique et au Guatemala.

Les colonisateurs européens ont introduit le métier à cadre (pièce de bois horizontale supportant la chaîne), grâce auquel la largeur du tissu n'est plus limitée. Dans ce cas, le travail est exécuté par les hommes, dans une échoppe, plutôt que par la femme chez elle.

Les tisserands femmes et hommes utilisent surtout les fibres produites localement. Dans ces régions, le coton indigène est la plus courante. Cependant, le filage s'effectue de moins en moins à domicile depuis un siècle, car il est facile de se procurer le fil prêt à être utilisé. La laine, introduite avec l'élevage du mouton par les Espagnols au moment de la conquête, fait partie depuis cette époque des fibres tissées. Depuis les années 1920, en outre, sont ajoutées en petites quantités la soie et les matières synthétiques.

De même que la technique de tissage est restée traditionnelle en Mésoamérique, les motifs n'ont guère changé depuis les temps anciens. Les oiseaux, les animaux, les personnages stylisés et de couleurs vives comptent parmi les préférés. Les tissus actuels intègrent aussi de nouveaux éléments, comme les fleurs ou les lettres. Cependant, les motifs anciens qui possèdent des significations symboliques – les oiseaux, par exemple, doués de pouvoirs spirituels dans les croyances traditionnelles – restent très prisés des artisans. Chaque région a sa spécialité. Il est possible de reconnaître précisément l'origine d'un tissu, au village près, grâce à des détails de couleurs ou de dessin. Les plus admirés étaient exportés au-delà du voisinage immédiat, et certaines zones produisaient plus que d'autres pour répondre à la demande, ce qui est toujours le cas aujourd'hui. Le tissage reste, parmi les arts mésoaméricains, celui qui a le plus longtemps survécu sans modification majeure.

MEH

L'or et le jade en Amérique centrale

Les premiers Européens qui visitèrent l'isthme reliant le Mexique à l'Amérique du Sud au XVIᵉ siècle furent surpris par la profusion d'or qu'ils trouvèrent chez leurs habitants. Non seulement le métal était d'une qualité supérieure à celle que l'on trouvait en Europe, mais sa transformation en ornements attestait un savoir-faire parfaitement maîtrisé. Les nouveaux arrivants s'emparèrent de tout l'or qu'ils pouvaient trouver pour le fondre et créer des objets pour leur propre usage. Ces agissements eurent des conséquences négatives sur les autochtones et sur leur culture. Les conquérants ne surent pas apprécier le travail des orfèvres d'Amérique centrale sachant faire appel aux techniques métallurgiques les plus sophistiquées. L'or n'était pas le seul attrait de ces régions. Dans les cultures des actuels Costa Rica, Panamá et Colombie, on sculptait le jade ou la pierre et on produisait une admirable céramique polychrome. Souvent éclipsées par leurs voisins du Mexique, au nord, et du Pérou, au sud, ces civilisations ont laissé des œuvres d'une qualité et d'une sophistication semblables à celles des autres régions des Amériques.

La production d'objets prestigieux a une longue histoire, plusieurs fois millénaire, en Amérique centrale. Elle commence vers 1000 av. J.-C. avec le jade au Costa Rica et avec l'or en Colombie. Les céramiques panaméennes sont apparues, dès 3000 av. J.-C., mais l'orfèvrerie n'a été introduite que voici 2 000 ans environ. La création artistique a été favorisée dans toutes ces sociétés par une agriculture perfectionnée à l'origine des trois bases de l'alimentation mésoaméricaine : maïs, courge et haricot. En effet, seule une agriculture semi-nomade bien établie pouvait dégager suffisamment d'excédents, donc de temps libre et de ressources, pour que soient produites, ou acquises, des œuvres d'art. Les peuples appartenant à ces cultures ne bâtirent pas de villes en pierres, comme leurs voisins du Nord et du Sud, mais vécurent dans des villages organisés en chefferies jusqu'à l'arrivée des Espagnols au début

du XVIᵉ siècle (ill. 2). Les enjeux des affrontements entre chefs étaient la terre, le pouvoir et la richesse, et ils essayaient de se surpasser mutuellement par le déploiement d'objets d'art prestigieux, notamment ceux en jade ou en or.

L'actuel Costa Rica était connu pour sa production d'ornements dans ces deux matériaux. Son appellation même « côte riche » donnée par les Espagnols était bien trouvée. L'or était abondant dans les cours d'eau, et on suppose qu'une riche veine de jade, épuisée bien avant le XVIᵉ siècle, fournissait à la fois les cultures costaricaine et olmèque[1]. Ces deux peuples accordaient la même valeur à ce minéral et il semble que leurs contacts furent nombreux. Leurs techniques pour le travail du jade, une des pierres les plus dures qui soient, étaient semblables et leurs styles respectifs se correspondent, notamment dans le motif sculpté représentant le « dieu-hache » (ill. 3). Les haches de pierre polie ou celts, principaux instruments tranchants de la Mésoamérique ancienne, étaient associés à une symbolique religieuse. Leur forme se prêtait particulièrement bien aux représentations d'êtres surnaturels, qui tiennent à la fois de l'homme et de l'oiseau. Les dieux-haches costaricains, avec leur moitié inférieure doucement arrondie et leur moitié supérieure en forme de poignée, sont à l'évidence dérivés de ce modèle. L'emploi même du jade est symbolique, car ce minéral était associé à la fertilité et spécifiquement aux épis verts du maïs, céréale typiquement mésoaméricaine, dont les celts évoquent aussi l'aspect.

Les cultures olmèque et costaricaine présentent néanmoins d'intéressantes différences dans leur iconographie. Les croyances olmèques attribuaient au jaguar, le plus grand prédateur des Amériques, des pouvoirs surnaturels ; leur sculpture comporte fréquemment des motifs félins associés, sur le mode fantastique, à des éléments humains. La représentation du jaguar est courante dans toute la Mésoamérique, sauf dans les jades costaricains, où la figure surnaturelle et animale la plus fréquente est celle d'un oiseau revêtant divers aspects, mais dans

GOLFE DU MEXIQUE

CUBA

MEXIQUE

BELIZE

GUATEMALA

HONDURAS

SALVADOR

NICARAGUA

L. MANAGUA

L. NICARAGUA

NICOYA

COSTA
RICA

DIQUIS

COCLÉ

PANAMÁ

VERAGUAS

Diquis

Sitio Conte

HAÏTI

RÉP.
DOMINICAINE

JAMAÏQUE

HISPANIOLA

MER DES CARAÏBES

Ciudad
Perdida

SIERRA NEVADA
DE SANTA MARTA

TAIRONA

SINÚ

VENEZUELA

QUIMBAYÁ

MUISCA

CALIMA

COLOMBIE

OCÉAN PACIFIQUE

SAN AGUSTÍN

LA TOLITA

TUMACO

Quito

ÉQUATEUR

Valdivia

PÉROU

BRÉSIL

Carte des sites et des cultures de l'Amérique centrale

lequel on reconnaît habituellement l'aigle ou le vautour, rapaces d'une taille et d'une puissance remarquables[2]. Les créatures ailées ont certainement joué un rôle important dans les croyances costaricaines. Par ailleurs, les dieux-haches et les autres sculptures en jade du Costa Rica n'étaient pas de taille monumentale, mais plutôt de petites dimensions – celles d'une main – de manière à pouvoir être portés comme ornements signifiant un rang élevé dans la société[3].

Dans la culture costaricaine, le jade resta le matériau le plus précieux avant d'être supplanté par l'or vers 700. Il n'est pas impossible que la chute des grandes villes du Nord (Teotihuacán et celles du pays maya) qui appréciaient elles aussi le jade ait conduit les Costaricains à adopter les styles et les formes d'ornements prestigieux prévalant dans les civilisations du Sud. La métallurgie de l'or commença au Pérou en 2000 av. J.-C. et les techniques d'orfèvrerie, remontant le long de la côte caribéenne vraisemblablement grâce au commerce maritime, atteignirent l'Amérique centrale vers 500 av. J.-C. Les techniques les plus répandues sont celles de la fonte à cire perdue, le faux filigrane, la dorure par élimination chimique des métaux parasites et l'emploi d'un alliage or-cuivre appelé tumbaga[4]. Travaillé selon ces techniques, l'or servait à produire des figurines de valeur symbolique, principalement des êtres humains, des oiseaux, des alligators, des grenouilles et des animaux à la longue queue recourbée. On peut considérer le Costa Rica, le Panamá et même la Colombie comme un seul centre de production métallurgique, recourant à des modes de figuration très proches. Il existe des différences régionales, mais elles sont assez peu marquées. De grandes pièces d'or battu – plaques rondes, casques et brassards – étaient portées sur le corps en plus des pendentifs figuratifs. L'archéologie confirme les dires des Espagnols, qui indiquaient que les chefs costaricains semblaient vêtus de métal. Pour les civilisations des Amériques du Sud et centrale, l'or, produit directement par le Soleil, recelait des principes actifs masculins.

L'or brut ne signifiait rien, en soi, à leurs yeux. Seule lui conférait de la valeur la qualité du travail dont il était l'objet[5].

Bien que plus connus pour leur travail de l'or et du jade, les artistes costaricains ont produit une abondante sculpture sur pierre et une poterie haute en couleur. Ils commencèrent à travailler la pierre il y a 2 000 ans : personnages debout, grandes *metates* (meules) à usage domestique ou rituel, têtes de félins et d'humains, et toute sorte d'animaux tels que reptiles, oiseaux, félins et chiens. Les potiers produisaient des récipients et des sifflets zoomorphes, des hommes dans différentes attitudes, et des vases souvent incisés ou peints. Si les styles de la céramique évoluèrent peu dans le temps, la sculpture, en revanche, se transforma ; à la prédominance des formes liées à l'agriculture, comme les *metates,* succéda celle de la figure humaine représentée dans diverses activités. Ces modifications résultent d'une collectivisation, d'une centralisation et d'une hiérachisation croissantes des activités rituelles liées au chef[6].

L'aire panaméenne a suivi une évolution comparable à celle du Costa Rica. Il y a 5 000 ans environ, les populations adoptèrent une agriculture en voie de sédentarisation, complétée par la chasse, et produisirent leurs premières poteries[7] dès 3000 av. J.-C. En céramique, la tradition panaméenne est d'une grande richesse avec des vases d'un graphisme complexe, ornés de riches motifs peints. Ses formes sont

Ill. 2
Anonyme, *Le chef Lacenta, sa famille et ses serviteurs*, 1681, reproduit dans *The Ancient Americas. Art from Sacred Landscapes,* The Art Institute of Chicago, 1992

Ill. 3
Pendentif en forme de dieu-hache, 100-500,
Nicoya, Costa Rica, jade, The Saint Louis Art
Museum. Cat. 97

Ill. 4
Pendentif en forme d'homme-oiseau, vers 400-900, Veraguas, Panamá,
or, The Cleveland Museum of Art. Cat. 115

très diverses : sveltes cruches à col, bols, vases zoo-morphes, assiette à socle ou à pied. Les décors sont géométriques ou zoomorphes, correspondant donc aux goûts et aux croyances de cette culture. Celle-ci, comme au Costa Rica, était organisée en chefferies, le chef lui-même exerçant des pouvoirs religieux et temporels, veillant à la redistribution des excédents agricoles et contrôlant les entrepôts où maïs, patate douce, piments, arachide, fruits et viande étaient emmagasinés. Un chef régional pouvait être le suzerain de plusieurs potentats locaux. Pour jouir d'un statut social élevé, il fallait être courageux, et plus particulièrement au combat, ou exceller dans la pratique d'un art. Les objets d'art, à vocation rituelle, décorative ou funéraire, étaient associés à toutes les étapes de la vie et, pour les vivants et les morts des classes élevées, les signes de distinction sociale étaient affichés par les tenues vestimentaires ornées de parures. De là vient la haute estime dont jouissaient ceux qui les fabriquaient[8].

Les parures les plus prestigieuses sont des pièces d'orfèvrerie, technique introduite d'abord à Panamá, puis au Costa Rica, qui étaient plus proches de l'aire sud-américaine. Cette région, sans tradition de travail du jade, et sans lien direct avec les civilisations de l'ancien Mexique, était plus réceptive aux influences venues du sud. L'or n'est pas difficile à trouver, à Panamá, et sa transformation en objets commença il y a 2 000 ans selon les techniques mentionnées plus haut.

Les artistes panaméens utilisèrent aussi le répertoire iconographique commun à toute la Mésoamérique – grenouilles, personnages, oiseaux, félins, lézards ou alligators et créatures surnaturelles combinant éléments humains et animaux (ill. 4) – pour leurs ornements. C'est la qualité de l'ouvrage plus que la quantité d'or qui donnait à l'objet sa valeur. Les parures en or, portées par les catégories sociales les plus aisées, étaient le principal symbole de richesse et d'autorité dans la société panaméenne[9].

Ces ornements jouaient un rôle semblable parmi les élites des civilisations de l'actuelle Colombie. Les premiers objets en orfèvrerie datent de plus de 2 000 ans, et sont donc antérieurs à ceux du Panamá et du Costa Rica, mais fabriqués selon les mêmes techniques et reprenant la même iconographie. L'or y était martelé, à l'aide de petits maillets ovales en fer météoritique sur des enclumes cylindriques, en grandes feuilles qui étaient transformées en diadèmes, disques pectoraux, ornements de nez, pendants d'oreille, bracelets ou masques. L'or, que l'on pouvait trouver sans difficulté en Colombie dans un état de pureté exceptionnel, se prêtait à ce type de travail[10]. Les membres des classes supérieures de la société y étaient, de leur vivant, couverts d'or, métal symboliquement lié au Soleil et signe de pouvoir. Ces parures les accompagnaient dans la tombe : leurs momies étaient revêtues d'or et souvent d'un masque. La société colombienne, comme celles de Panamá ou du Costa Rica, était organisée en groupes de villages contrôlés par des chefs. L'agriculture pratiquée par les communautés pouvait subvenir aux besoins d'une société hiérarchisée possédant un système complexe de croyances que reflète l'art colombien, semblable à celui de leurs voisins immédiats du nord.

Les sociétés vivant sur les territoires des actuels Costa Rica, Panamá et Colombie préhispaniques avaient en commun de nombreux traits culturels. Toutes partageaient une semblable organisation en chefferies locales et pratiquaient une agriculture sophistiquée produisant assez de ressources et de surplus pour faire vivre à la fois une élite sociale et les artistes chargés à plein temps de son ornement. L'or y était le principal matériau des parures, dont les formes s'inspiraient d'un répertoire iconographique commun. Les ornements de jade étaient présents dans le nord de l'isthme à une époque antérieure, objet d'un commerce qui s'étendait au-delà de leur région de production en raison de leur grande valeur. La sculpture sur pierre y occupait une fonction cérémonielle. L'art était présent dans la vie quotidienne de chacun, quelle que soit sa condition car des poteries peintes ont été retrouvées dans de modestes sépultures. Costaricains, Panaméens et Colombiens sont les descendants de ces artistes artisans. Si leur culture n'a pas résisté à l'arrivée des Espagnols au XVIe siècle, ils pratiquent toujours un art qui leur est propre. L'absence d'urbanisation et d'architecture monumentale pourrait conduire à méconnaître ce territoire, sur lequel, pourtant, ont été produits des chefs-d'œuvre dont la qualité ne dépare pas l'art des Amériques. MEH

Notes

1. Elizabeth Kennedy Easby, *Pre-Columbian Jade from Costa Rica*, New York, André Emmerich, Inc., 1968, p. 14 et 15.
2. Collectif, *Between Continents, Between Seas : Pre-Columbian Art of Costa Rica*, New York, Harry N. Abrams, Inc., 1981, p. 139.
3. *Ibidem*, p. 138.
4. *Ibidem*, p. 153 et 154.
5. Julie Jones (sous la dir. de), *The Art of Pre-Columbian Gold : The Jan Mitchell Collection*, Boston, Little, Brown and CO., 1985, p. 26.

6. *Between Continents, op. cit.*, p. 131.
7. Armand J. Labbé, *Guardians of the Life Stream : Shamans, Art and Power in Prehispanic Central Panama*, Santa Ana (CA), Cultural Arts Press, Bowers Museum of Cultural Art, 1995, p. 25.
8. Labbé, p. 47.
9. Jones, *op. cit.*, p. 36 et 37.
10. Jones, *op. cit.*, p. 47 et 48.

94

Homme tenant une crécelle, 700-1500

Costa Rica, chiriqui ou diquis
Or coulé
H. 6,01 cm
The Minneapolis Institute of Arts, fonds Lillian Z. Turnblad, 53.2.8

Ce personnage est un danseur rituel ou un musicien. Il tient une sorte de crécelle ou cistre conique dans sa main droite, porte une coiffure spiralée, une ceinture ; ses cuisses et ses chevilles sont ornées d'anneaux. Les éléments serpentiformes sont courants dans les représentations de danseurs rituels, mais habituellement placés près de la bouche comme une flûte, et non pendus à la ceinture comme ici. Le corps est athlétique, bien formé, la poitrine et les membres, vigoureux. Les traits du visage sont fortement marqués, avec des yeux fendus dans un ovale, un nez et une bouche rectangulaires. L'expression est calme, presque contemplative.   **MEH**

95

Celt noir, vers 500-750

Costa Rica
Néphrite
H. 11,6 × long. 5,4 × L. 1,9 cm
The Minneapolis Institute of Arts, fonds de la famille de John Cowles Family, 2001.61.3

Ce celt montre un guerrier portant à la tête un bandeau décoratif. La forme, complexe et abstraite, comporte des traits indiqués surtout par les lignes gravées et par des variations de profondeur des surfaces. Les orbites, par exemple, ne sont qu'une seule et légère dépression où l'œil lui-même n'est pas dessiné. De même, la bouche n'est qu'un sillon dont les extrémités s'abaissent légèrement. Les oreilles et le nez sont marqués par des triangles hachurés à l'endroit qu'ils occupent sur le visage. Les avant-bras et les mains sont traités géométriquement par des triangles en relief peu marqué – triangles verticaux pour les bras, horizontaux pour les mains. Le reste de la sculpture est déterminé par la forme du celt, où l'on reconnaît celle de la hache de pierre polie dont il dérive.   **MEH**

96

Celt à décor incisé, vers 500-750

Costa Rica
Néphrite
H. 12,9 × long. 5,7 × L. 8 cm
The Minneapolis Institute of Arts, fonds de la famille John Cowles,
2001.61.2

Ce qui distingue ce celt est le décor incisé réhaussé au cinabre. Cette substance, précieuse en elle-même, était importée de régions lointaines. Le personnage est délicatement sculpté, en creux pour les yeux et la bouche, en relief pour le nez et les mains. La coiffure est caractéristique de celle du guerrier, avec des éléments conique saillants à ses coins ; son bandeau central porte un motif tressé ou noué auquel fait écho celui de la langue qui sort de la bouche jusqu'aux bras croisés et se termine par un bout fendu et arrondi. Les traits du visage (yeux, narines, dents et lèvres) sont incisés et ce style d'ornementation atteste les échanges culturels avec les Olmèques. La langue, qui évoque le serpent, signifie le pouvoir surnaturel de l'être représenté.   **MEH**

97

Pendentif en forme de dieu-hache, Ier-VIe siècle

Costa Rica, nicoya
Jade
H. 15 × L. 5,8 cm
The Saint Louis Art Museum, don de Morton D. May, 390 : 1978

Le dos de ce dieu-hache a été poli pour éliminer les arêtes que produit le sciage à la cordelette et au sable. Comme le jade est une roche très difficile à tailler, un tel pendentif n'était exécuté qu'au prix d'un long et fastidieux travail. Les anciens Costaricains, dépourvus d'outils en métal, ne se servaient que d'abrasifs et d'instruments en bois, en pierre ou en os, de cuir et de fibres pour entamer la pierre – les perçoirs à mouvements circulaires leur étaient inconnus –, mais avec une habileté remarquable. Cette pièce a la forme classique du dieu-hache, avec sa coiffure rectangulaire, ses yeux creusés, son nez triangulaire, sa bouche horizontale et ses bras joints sur la poitrine.   **MEH**

98

Guerrier debout portant en trophée une tête, 900-1200

Costa Rica
Pierre volcanique
H. 38 cm
Yale University Art Gallery, don de The Olsen Foundation, 1958.15.6

Les sculptures de guerriers portant des têtes sont une des rares formes de portrait qu'a laissées l'art costaricain. Le nombre de détails réalistes, mais aussi parfois les difformités, laissent penser qu'elles représentaient un individu. L'attitude générale est stéréotypée : personnage debout levant son bras gauche armé d'une hache. Le bras droit, replié, se referme sur la tête tranchée gagnée au combat. Les hommes sont généralement nus, à l'exception d'une ceinture ornementale portée à la taille. La position rapprochée de la tête coupée et des organes génitaux illustre le lien existant entre, d'une part, la guerre et les sacrifices humains et, d'autre part, la fertilité et le renouveau. De grandes statues de ce type, placées autour des esplanades et des plates-formes, marquaient les limites de ces enceintes cérémonielles.   **MEH**

99

Meule *(metate)* sur support, Iᵉʳ-VIᵉ siècle

Costa Rica
Pierre volcanique
H. 40,3 × long. 66 × L. 64,8 cm
The Minneapolis Institute of Arts, don de Harold and Rada Fredrikson, 97.92.5

Les meules sont parmi les plus grandes sculptures de pierre produites en Amérique centrale. Ces objets rituels prestigieux qui appartenaient à un chef étaient habituellement joints à son mobilier funéraire. Symbolisant la maîtrise du potentat sur les excédents alimentaires et sur les travaux agricoles, elles ne servaient qu'en certaines occasions cérémonielles à la préparation de nourriture ou de drogues réservées à la consommation rituelle. Ce type de *metate* se compose d'un plan de meulage monté sur un panneau ouvragé. L'ajourage était obtenu par la seule technique du sciage à la cordelette à l'aide d'un abrasif.

Le décor de ces meules fait appel à des thèmes généralement complexes, mais presque toujours liés à la fertilité et au renouveau. Les captifs à la tête serrée dans le bec d'oiseaux, sur le socle tripode, font référence aux semailles, car la tête symbolisait la graine. Le panneau central montre un personnage au masque de crocodile, entouré de serpents, qui se tient les bras tendus, figurant ainsi un chaman habité par une divinité. Ces représentations illustrent l'idée, commune à toute la Mésoamérique, que les sacrifices humains rituels sont source de fertilité. Elles évoquent aussi la concurrence parfois violente à laquelle se livraient les chefferies d'Amérique centrale pour la possession des terres et des moyens de subsistance.   **MEH**

100

Fumeur de cigare, 1000

Costa Rica
Basalte porphyritique
H. 12,1 × long. 7,6 × L. 1,9 cm
Yale University Art Gallery, don de Stanley Josephson, 1984.118.1

On interprète généralement les figurines de ce style comme des fumeurs de cigare. Le tabac était important en Amérique centrale en raison de ses emplois en médecine et lors de cérémonies religieuses. Le visage du personnage exprime une contemplation rêveuse, presque méditative. Ses membres détendus, toute son attitude, même, évoquent son bien-être. La présence peu fréquente de ces statuettes au Costa Rica suggère qu'elles n'étaient pas liées à des contextes strictement rituels et qu'il s'agit peut-être ici de ces bibelots, de ces « sujets », que les gens aimaient avoir chez eux.   **MEH**

101

Table à offrandes sur quatre caryatides, vers 800-1200

Costa Rica
Pierre volcanique
H. 21,6 × L. 25,3 cm
Yale University Art Gallery, don de Winthrop Sargeant, 1986.98.8

Des ustensiles originellement destinés à l'agriculture étaient traditionnellement utilisés à des fins rituelles dans cette région. Ainsi, cette table à offrandes ou *metate* (meule) taillée dans une pierre volcanique – donc susceptible d'être utilisée quotidiennement pour broyer – ne servait sans doute qu'à de grandes occasions pour la préparation d'aliments ou de drogues. Peut-être même n'était-elle destinée qu'à des rites funéraires. Le broyage s'effectuait entre la *mano*, pièce oblongue de pierre, mobile, tenue à la main, et la partie dite « dormante » de la meule, son plan de broyage. Celui-ci repose sur quatre personnages féminins nus, se donnant le bras et se soutenant les seins – probable évocation de la fertilité. Les bords de la meule sont décorés d'un motif délicatement festonné.   **MEH**

102

Vase en forme de félin, 1200-1500

Costa Rica
Céramique, pigments et tissu
H. 32,5 cm
Yale University Art Gallery, don de Gail Snow Cain and Christopher Forrest Snow en mémoire de leur oncle, Gilles A. Lesieur, B. Arch 1951, 1989.95.1

Ce vase figure un félin dans une attitude humaine : assis, les pattes de devant posées sur les jambes, alors que la tête qui se dégage du flanc est tout à fait réaliste. Les cruches jaguar sont une forme classique, voire archétypale, de l'art costaricain. Représentant, croit-on, un dieu jaguar dévorant le Soleil, cette pièce est décorée de motifs très colorés qui ne se rapportent pas seulement au félin, mais aussi à certains éléments célestes tels que le Soleil et les étoiles. Habituellement, ces vases étaient munis de pieds creux dans lesquels on plaçait des billes de terre qui produisaient un bruit de sonnailles.   **MEH**

103

Personnage, 800-1200

Costa Rica
Céramique et pigments
H. 13,7 × long. 10,3 × L. 8,4 cm
The Minneapolis Institute of Arts, don du Dr. et de Mrs. John R. Kennedy, 99.57.10

Le sujet de cette terre cuite est un guerrier, identifiable à son chapeau conique et à sa collerette ornementale. Le chapeau présente une surface bosselée, attribut généralement réservé aux reptiles. Le corps était orné de traits de peinture, restitués sur la céramique par un engobe foncé. Le personnage est au repos, accroupi, les mains sur les genoux. Cependant, son pied gauche est bien posé contre le sol, signe qu'il peut bondir d'un moment à l'autre. **MEH**

104
Vase en forme de dindon, vers 1200-1400

Costa Rica, guanecaste
Céramique et pigments
H. 26 × diam. 19,4 cm
The Cleveland Museum of Art, acquisition auprès du fonds
J. H. Wade, 1945.376

Bien que le plus souvent les vases soient en forme de félin
(jaguar surtout), d'autres animaux, comme ici le dindon,
servent de modèles. Source de protéines appréciable dans
l'Amérique centrale ancienne, on ne sait cependant pas
précisément ce qu'il symbolise ; les motifs peints sur le col
du vase n'ont pu être déchiffrés. L'habileté du potier à
modeler la tête, avec ses caroncules, les ailes et la queue,
traduit la maîtrise de son savoir-faire.   **MEH**

105
Bol, 1000-1400

Costa Rica
Céramique et pigments
H. 12,7 × diam. 20,32 cm
The Minneapolis Institute of Arts, fonds William Hood Dunwoody,
44.41.15

La poterie peinte constituait une partie importante de la
production artistique costaricaine avant la conquête. L'argile étant plus accessible que le jade, elle n'était pas réser-
vée à l'élite, mais décorait les intérieurs et les tombes de
gens ordinaires. Ce récipient est représentatif de ce style. Il
est constitué d'un colombin enroulé, puis égalisé; après
quoi la surface est incisée, enduite et peinte avant le passage au four. De délicates lignes courent le long de ses
flancs, dont elle soulignent l'arrondi. De chaque côté une
chouette ouvre de grands yeux. C'était un oiseau respecté,
étant à la fois un rapace, donc associé au guerrier, et un
animal nocturne capable de se diriger dans l'obscurité.
                                                MEH

106
Encensoir, 600-1000

Costa Rica
Céramique
H. 29,2 cm couvercle compris
Yale University Art Gallery, don de Mr. and Mrs. Fred Olsen,
1959.55.10a, b

Ce bol à couvercle était destiné à la combustion de l'en-
cens lors de cérémonies. L'alligator figuré de manière très
détaillée – plumets recourbés du museau et yeux
énormes – sur l'ornement du couvercle devait, enveloppé
par la fumée, paraître surnaturel. Sur le corps du vase lui-
même ont été appliquées des boulettes d'argile dont l'aspect évoque la peau rugueuse du grand saurien. **MEH**

Cat. 106

107

Tête de masse d'armes factice, vers 500-800

Costa Rica, nicoya
Granit poli
H. 19,5 cm
The Saint Louis Art Museum, don de Morton D. May, 373 : 1978

Dans l'art costaricain, la masse d'armes est la sculpture en pierre dure la plus fréquemment taillée après les objets de jade. Façonnée d'après les armes réelles, elle signalait la vaillance au combat de leur détenteur et les mérites qu'il en retirait, elle pouvait aussi indiquer un rang social ou une fonction. Peut-être ces armes servaient-elles, par ailleurs, de signes d'appartenance à un clan. Les têtes de masse étaient fabriquées par des spécialistes et leur détention était étroitement contrôlée par le souverain. Percées d'un trou dans leur largeur, elles pouvaient être fixées à un manche. Cette pièce, en granit rouge – couleur symboliquement importante puisqu'elle est associée sang – évoque un oiseau de proie au bec et aux yeux saillants.

MEH

108

Celt oiseau, vers 500-750

Costa Rica
Néphrite
H. 18,3 × long. 4 × L. 4 cm
The Minneapolis Institute of Arts, fonds de la famille John Cowles, 2001.61.1

Ce celt est taillé en forme d'oiseau et non de personnage humain, figure plus courante pour ce type de sculpture. Il s'agit ici d'un rapace, vautour ou aigle, au bec crochu. Selon les croyances costaricaines, les oiseaux étaient dotés de pouvoirs surnaturels importants, ce qui explique la place que leur ont attribuée les artistes dans l'iconographie. Les celts à tête pointue comme celui-ci, qui divergent du modèle traditionnel, la hache de pierre polie, sont assez inhabituels. Le sommet du crâne est orné d'une crête de plumes ou d'une coiffure chamanique indiquant un rang élevé dans la société. Des trous de suspension, permettant de porter l'objet comme ornement, sont percés sous les yeux. La lame mince et plate évoque les rectrices de la queue.

MEH

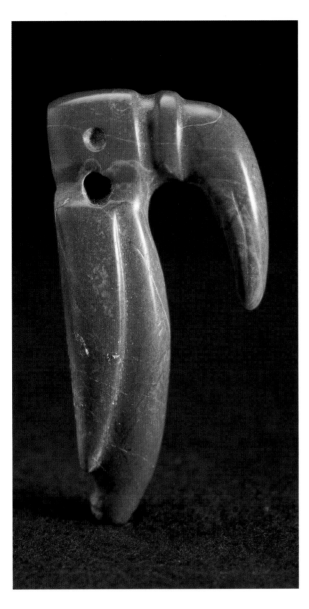

109
Pendentif en forme d'oiseau au long bec, Vᵉ siècle av. J.-C.- Iᵉʳ siècle apr. J.-C.

Costa Rica, nicoya
Jadéite
H. 6,5 cm
The Saint Louis Art Museum, don de Morton D. May, 170 : 1980

Les ornements figurant des oiseaux au grand bec recourbé sont plus rares que les dieux-haches et les celts. Portés en pendentif, ils ont la tête percée d'un trou, juste sous l'œil. Sur cette pièce, les yeux aussi sont percés. L'importance du bec donne une certaine présence aux exemplaires les plus petits. **MEH**

110
Pendentif horizontal à saurien bicéphale et chauve-souris, Iᵉʳ-VIᵉ siècle

Costa Rica, nicoya
Jade
H. 17,5 × L. 2,5 cm
The Saint Louis Art Museum, don de Morton D. May, 171 : 1980

Ces ornements, portés horizontalement sur la poitrine, contrastent remarquablement avec les dieux-haches et les oiseaux, portés verticalement. Celui-ci représente un saurien dont les deux têtes forment les ailes d'une chauve-souris, prédateur nocturne réputé posséder des pouvoirs spéciaux. Le bicéphalisme ou le thème du double est un motif omniprésent de l'art mésoaméricain pour désigner des aspects ou des êtres surnaturels. La présence conjointe de la chauve-souris et du reptile, animal métaphoriquement associé aux guerriers, conférait à ce pendentif une puissance et un prestige supplémentaires.   **MEH**

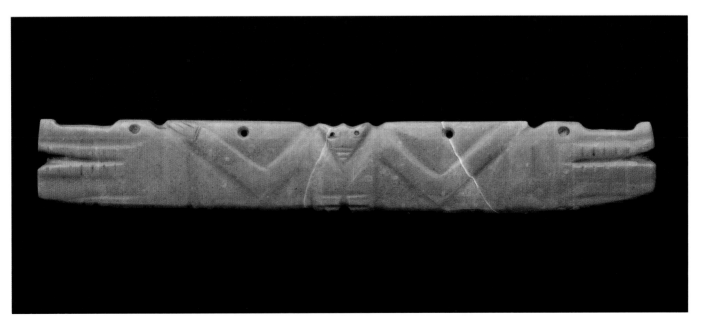

Cat. 112

Cat. 113

111

Pendentif en forme de grenouille, 800-1500

Costa Rica, diquis
Or
H. 3,8 cm
The Minneapolis Institute of Arts, don de Mrs. Arthur Bliss Lane
en mémoire de son mari, Mr. Arthur B. Lane, 63.62.4

112

Pendentif en forme de grenouille, vers 800-1500

Costa Rica, diquis
Or coulé
H. 4,44 × long. 3,17 × L. 1,27 cm
Virginia Museum of Fine Arts, Richmond, don de Miss Alice
Dodge, 68.11.2

Chacune de ces grenouilles présente des éléments serpentiformes qui lui sortent de la bouche et se terminent par
des têtes de reptile bien identifiables. Le serpent symbolise
la force vitale, et sa représentation double indique la com-
plémentarité ou l'indissociabilité des énergies mâle et
femelle. Représentant la grenouille en position de repos,
ces pendentifs évoquent les croyances selon lesquelles
l'animal s'asseyait sur les tombes pour empêcher le mort
de se relever et d'importuner les vivants.

Ces figurines qui sont coulées à la cire perdue, les pattes
étant martelées plus tard, sont à l'échelle des batraciens
que l'on trouve dans cette région   **MEH**

113

Pendentif en forme de grenouille, vers 1300-1500

Costa Rica, diquis
Or coulé
H. 6,7 × L. 5,2 cm
The Saint Louis Art Museum, don de Morton D. May, 202 : 1978

Cette pièce diffère des deux précédentes, car les attributs
reptiles sortant de sa bouche appartiennent non au serpent, mais à l'alligator dont la gueule pleine de dents
apparaît aux extrêmités. Les pattes postérieures de la grenouille ont la forme de nageoire propre au style de la
région, mais leur longueur est inhabituelle (il s'agit peut-
être d'une espèce arboricole). Leur articulation au corps est
moins réaliste, puisqu'elle sortent des flancs de l'animal.

MEH

114

Pendentif au musicien, vers 1000-1500

Panamá, veraguas
Or coulé
H. 4,6 × long. 2,8 × L. 9 cm
The Cleveland Museum of Art, The Norweb Collection, 1951.177

Les pendentifs en or représentent souvent des rituels accompagnés de musiciens et de serpents. Les volutes de la coiffure du personnage, la crécelle qu'il tient dans sa main gauche indiquent qu'il s'agit de quelqu'un d'important. Le serpent qui sort de sa bouche et qu'il tient dans sa main droite montre qu'il participe à un rituel. Dans les cérémonies mésoaméricaines, celui qui savait manipuler les serpents (souvent dangereux dans la région) recevait des pouvoirs temporels et spirituels. Les jambes terminées en nageoire renforcent les affinités du personnage avec l'au-delà.   **MEH**

115

Pendentif en forme d'homme-oiseau, vers 400-900

Panamá
Or coulé
H. 7,4 × long. 5,2 × L. 5,2 cm
The Cleveland Museum of Art, The Norweb Collection, 1939.509

L'être figuré par ce pendentif participe de l'humain et de l'oiseau. À première vue, c'est un homme assis, les genoux remontés vers la poitrine. En fait, son corps est formé de deux oiseaux : les jambes correspondent à leur tête et leur bec, le bassin et le torse sont formés par leurs corps joints. Les caractères surnaturels dont sont traditionnellement dotés les oiseaux au Panamá et les attributs dont est paré le personnage (coiffure élaborée et bijou nasal) indiquent qu'il s'agit d'un chef ou d'un chaman métamorphosé en être doué de pouvoirs spirituels.   **MEH**

116

Pendentif en forme de cerf, vers 400-900

Costa Rica ou Panamá
Or coulé
H. 7,5 × long. 4,2 × L. 8,9 cm
The Cleveland Museum of Art, The Norweb Collection, 1952.325

En Amérique centrale, les représentations de cerf sont rares, les prédateurs, et généralement les animaux dangereux, étant les motifs privilégiés. Ici, l'appendice caudal peu réaliste laisse penser qu'il s'agit d'un animal mythique auquel sa longue queue recourbée confère un surplus de force spirituelle. Dans la cosmogonie costaricaine, alors que les dieux créaient l'océan par leur course circulaire, le cerf dégageait l'espace qui lui était nécessaire. L'animal est associé à la divinité principale et au vol en raison de sa vélocité.   **MEH**

117
Vase au bossu, 1000-1300

Panamá, parita
Céramique et pigments
H. 20,6 × diam. 10 cm
The Minneapolis Institute of Arts, fonds Walter R. Bolinger,
2002.59

Ce vase interprète un modèle caractéristique de jarre à
double arrondi pour représenter un chaman bossu : les
épaules, la bosse du dos, le visage, le nez épousent les
contours de la forme ; d'autres détails peints avant la
cuisson, figurent les bras, les mains, les traits du visage, le
bandeau et la tunique. Dans plusieurs cultures anciennes
des Amériques, la déformation du dos, et les difformités en
général, sont associées à des pouvoirs spéciaux et à la communication avec le monde des esprits. Les couleurs
employées et la géométrisation du graphisme sont caractéristiques du style de Parita. **MEH**

118
Pendant en forme de personnage bicéphale, vers 700-1550

Panamá, veraguas ou chiriqui
Or coulé et martelé
H. 7,1 × long. 6,7 × L. 1,2 cm
The Cleveland Museum of Art, en mémoire de Mr. and
Mrs. Henry Humphreys, 1946.79

Les représentations d'être doubles ou jumeaux, combinant
souvent éléments humains et animaux afin de produire un
être surnaturel, sont importantes dans l'iconographie panaméenne. Il s'agit ici d'un singe à deux têtes paré comme
un guerrier (humain), avec sa coiffure spiralée, son collier,
sa ceinture et ses sandales. Par ses bras serpentiformes, le
personnage a saisi une sorte de corde arquée – peut-être
l'évocation de la queue du singe –, qui encadre la composition selon un procédé commun dans ces pendentifs. Le
thème du double reflète la croyance selon laquelle chaque
être possède deux aspects, l'un humain, l'autre animal, un
côté clair et un côté sombre. **MEH**

119
Pendentif en forme de singe se tenant la queue, 800-1500

Panamá, veraguas
Or coulé
H. 6,41 cm
The Minneapolis Institute of Arts, fonds Lillian Z. Turnblad, 53.2.9

Pour les cultures mésoaméricaines, le singe incarne l'esprit
d'un guerrier. Dans certains groupes, seuls ceux qui appartiennent aux clans du singe ou du jaguar peuvent pré-
tendre au rang de chef. Il est communément figuré tenant
sa longue queue recourbée au-dessus de sa tête. **MEH**

Cat. 118

Cat. 119

120

Collier, 800-1500

Panamá, veraguas
Or coulé
Long. 36,72 cm
The Minneapolis Institute of Arts, fonds Lillian Z. Turnblad, 53.2.10

La possession de bijoux en or était une marque de richesse et de prestige dans la société panaméenne. Les ornements revêtent souvent la forme de petites sculptures figurant des humains, des animaux ou des êtres surnaturels à la fois humains et animaux. Cependant, les formes géométriques n'étaient pas moins prestigieuses : les pectoraux circulaires et les colliers, notamment, le démontrent. Avec cet exemplaire, les « perles » cylindriques, de tailles inégales, étaient coulées en or rose. Deux grelots décoratifs sont fixés à la barre principale du pendentif. Ce collier peut avoir fait partie des ornements, c'est-à-dire des signes extérieurs de pouvoir, d'un haut personnage. **MEH**

121

Pectoral, 800-1500

Panamá, veraguas
Or
diam. 13,32 cm
The Minneapolis Institute of Arts, fonds Lillian Z. Turnblad, 53.2.5

Les disques pectoraux de ce genre sont courants parmi les objets en or martelé d'Amérique centrale. Les deux trous, en haut, montrent qu'ils étaient attachés au cou, reposant sur la poitrine. Les modèles les plus simples ne sont ornés que de points en relief le long du bord. Ici, s'y ajoute un motif repoussé de trois cônes formant un dessin triangulaire. Christophe Colomb rapporte que, voyant pour la première fois les « Indiens », il fut frappé par ces ornements. **MEH**

122
Pendentif aigle, 1000-1500

Panamá, veraguas
Or coulé et martelé
H. 5,6 × long. 6,5 × L. 2 cm
The Cleveland Museum of Art, acquisition auprès du fonds
J. H. Wade, 1943.289

Ces pendentifs, nommés *aguilas,* « aigles » par Christophe
Colomb et ses compagnons, étaient attachés au cou des
dignitaires. Si l'on emploie encore le même terme pour les
désigner, on doute que l'animal figuré soit un aigle, bien
qu'il s'agisse d'un rapace (bec crochu et serres). Cette
pièce est tout à fait représentative du style de Veraguas :
ailes et queue déployées, mais sans relief, équilibrant harmonieusement la composition ; tête dont la crête de
plumes et les yeux sont bien détaillés, et en relief comme
le corps. **MEH**

123
Pendentif en forme d'animal à queue recourbée, 800-1200

Panamá, Venado Beach
Or coulé
H. 8,17 cm
The Minneapolis Institute of Arts, fonds Lillian Z. Turnblad, 53.2.1

La représentation d'un animal à longue queue recourbée
est propre à l'Amérique centrale. C'est un être qui
emprunte ses traits à plusieurs animaux : la tête, avec le
museau court et les crocs saillants, évoque un prédateur
félin, tandis que la queue, avec son arête dentelée, est plutôt celle d'un alligator ou d'un lézard. Enfin, la partie pos-
térieure plate, et dont il ne reste qu'une moitié, ressemble
à une seconde queue de serpent enroulée sur elle-même.
Il faut y voir un prolongement surnaturel, de signification
mythique. On ne saurait en dire plus sur ce symbolisme,
qui cependant était d'une grande importance car ces pendentifs, portés la tête en bas, ont été retrouvés sur une
vaste étendue géographique. **MEH**

124
Pendentif en forme d'oiseau, vers 800-1500

Panamá
Or coulé
H. 5,08 × long. 6,35 × L. 1,27 cm
Virginia Museum of Fine Arts, Richmond, don de Miss Alice
Dodge, 68.11.1

Ce pendentif présente les ailes arquées – évoquant peut-être la Lune, qui dans les croyances mésoaméricaines, occupe le deuxième rang parmi les êtres surnaturels après le Soleil – et la large queue caractéristiques du style panaméen. Le bec est long, les griffes et les yeux, saillants, ce qui range l'oiseau parmi les prédateurs ou des charognards, aigle ou vautour royal. Les ailes étendues reproduisent bien l'attitude des vautours qui, perchés sur un arbre, font sécher leurs plumes. Les spirales sur le côté de la tête sont des bijoux d'oreille, signe que cet oiseau occupe un rang particulier dans la hiérarchie des figures mythiques.

MEH

Cat. 125

125
Ornement aux quatre grenouilles, 800-1200

Panamá, Venado Beach
Or coulé
H. 7,77 cm
The Minneapolis Institute of Arts, fonds Lillian Z. Turnblad, 53.2.3

Les grenouilles, nombreuses dans l'isthme centre-améri-
cain, présentent un foisonnement de tailles, de couleurs
(dont un doré métallique) et de particularités : certaines
sont venimeuses, d'autres fournissent des substances hallucinogènes. Elles sont figurées au repos ou dans d'autres
attitudes naturelles. La réunion de quatre batraciens sur cet
ornement fait référence au clan du détenteur ou évoque,
plus largement, des pouvoirs surnaturels, bénéfiques ou
maléfiques. **MEH**

126
Pendentif lézard, 800-1200

Panamá, Venado Beach
Or coulé
H. 7,62 cm
The Minneapolis Institute of Arts, fonds Lillian Z. Turnblad, 53.2.2

Le répertoire animalier de la région comprend également
les reptiles. Les sauriens, tels les alligators, les caïmans et les
iguanes, puissants prédateurs, se voyaient dotés de grands
pouvoirs. Les iguanes, en particulier, jouaient un rôle
important dans le monde des guerriers, car leur chair était
consommée à certaines occasions non seulement comme
fortifiant, mais comme agent de métamorphose, dans la
mesure où les vertus de l'animal étaient transmises à ceux
qui en consommaient. C'est ce qu'indiquent les quatre
disques attachés au dos du reptile, signes de mutation surnaturelle. La queue fourchue et recourbée, le museau court
de l'animal font penser qu'il s'agit d'un saurien mythique
plus que d'une espèce naturelle. **MEH**

Cat. 126

127

**Plat à pied à figuration reptile-poisson,
vers 800-1100**

Panamá, coclé
Céramique, pigment
H. 15,1 × diam. 24,2 cm
The Minneapolis Institute of Arts, fonds Tess E. Armstrong,
2002.58.1

Entre 800 et 1100, les céramiques panaméennes recourent
abondamment à l'image de sauriens ou d'animaux serpentiformes. Les serpents, capables de changer de forme,
étaient considérés à ce titre comme particulièrement puissants. L'animal figuré sur cette pièce participe du poisson
par sa queue et ses nageoires, et du reptile par son long
corps et par sa large mâchoire garnie de dents. On a expli-
qué le dessin des yeux par la présence d'éléments empruntés aux oiseaux, notamment des becs, pointés vers
l'extérieur. Le fait que cet être combine des traits hétéro-
clites suggère fortement son statut surnaturel ou chamanique. Le dédoublement et l'équilibre de la figuration, de
même que les couleurs employées, sont typiques de la
période classique de l'art panaméen. Les images doubles
évoquent l'interaction divine des principes mâle et femelle,
nécessaire à la création et à la continuation du monde. Les
formes courbes et sinueuses qui privilégient le mouvement
symbolisent le dynamisme, l'énergie et l'éclair. Le style lui-
même est caractéristique : ces *fruteras* sont la forme classique des céramiques produites dans toute la région de
Panamá.   MEH

128

Personnage féminin, vers 1000-1550

Colombie, muisca
Or
H. 10,16 × L. 2,85 cm
Virginia Museum of Fine Arts, Richmond, fonds Glasgow 59.16.2

Les artistes de la culture muisca, sur le territoire de l'actuelle Colombie, ont produit de petites figurines plates,
d'un style sans équivalent dans la région. Il s'agissait
d'offrandes votives, fichées en guise de prières dans le sol
de sites sanctifiés. Les offrandes étaient faites à grande
échelle sous la surveillance d'officiants qui devaient suivre
une formation sur plusieurs années avant d'accomplir
convenablement le rituel. Après fonte à la cire perdue dans
des moules qui donnaient la forme générale, les détails des
figurines étaient ajoutés à l'aide de fils d'or. Elles semblent,
pour une grande part, avoir été produites en masse, car les
formes et les figurations – quelque saint personnage, peut-
être – se répètent à l'identique. Cette femme dont on distingue la coiffure et les bijoux tient dans ses mains des
instruments courbes, dont le symbolisme n'a pas été
déchiffré, à la différence du motif, plus courant dans l'art
muisca, de la mère à l'enfant.   MEH

129

Figurine votive au propulseur, vers 900-1550

Colombie, muisca
Or coulé
H. 6,85 × L. 2,6 cm
The Cleveland Museum of Art, en mémoire de Mr. and
Mrs. Humphreys, don de leur fille Helen, 1947.19

L'attitude du personnage est courante dans les figurines votives de Muisca : debout, les bras pliés devant la poitrine et les jambes légèrement fléchies. Le corps n'a aucun ornement, si ce n'est une ceinture à la taille et un assez grand chapeau rectangulaire sur la tête, ce qui est une indication de rang social. Sa main droite tient un propulseur (d'arme de jet), présent chez tout guerrier. Les figurines muisca, classiques étant plates, celle-ci est remarquable par le volume donné au corps. L'aspect un peu grossier est dû au fait qu'elles n'étaient pas retouchées ni polies au sortir du moule. Ce n'était pas la finesse de l'apparence qui leur donnait de la valeur, mais le fait de pouvoir les offrir aux dieux en des lieux saints prescrits. **MEH**

130

Pendentif à figure humaine, 500-1500

Colombie, quimbaya
Or coulé
H. 9,6 × L. 5,8 cm
The Saint Louis Art Museum, acquisition, 153 : 1944

Ce pendentif montre un chaman en cours de transformation spirituelle. Les pendants rectangulaires, dont quatre subsistent, recouvraient autrefois une plus grande partie du personnage, indiquent sa métamorphose. La moitié inférieure du corps est aplatie en forme de queue d'oiseau ou de pattes stylisées de grenouille. La partie humaine est parée d'une grande collerette ornementale et d'une coiffure en deux parties dont les prolongements sont recourbés au-dessus des épaules, évoquant la sinuosité du serpent. L'expression du visage reflète la concentration intérieure. **MEH**

131

Masque de cérémonie, Vᵉ siècle -Iᵉʳ siècle av. J.-C.

Colombie, calima
Or
H. 16,59 × long. 21,82 × L. 5,39 cm
Dallas Museum of Art, collection Nora and John Wise, don de
Mr. and Mrs. Jake L. Hamon, de la famille Eugene McDermott,
de Mr. and Mrs. Algur H. Meadows et de la Meadows Founda-
tion, et de Mr. and Mrs. John D. Murchison, 1976.W. 320

Les masques de cérémonie ne visaient pas à représenter
une personne en particulier, mais l'humain en général,
d'où l'absence d'expression. Trouvés en Colombie uniquement, de forme habituellement circulaire, ils étaient fabriqués à partir d'une feuille d'or martelée. Les traits – les
yeux, le front, la bouche, les joues en relief courbe – étaient
obtenus par la technique du repoussé. Malgré le perce-
ment des pupilles, ces masques n'étaient pas portés, mais
ornaient la face des « momies ».   **MEH**

132

Pendentif en forme d'oiseau, vers 900-1600

Colombie, tairona
Or coulé et martelé
H. 8,1 × long. 6,3 × L. 3,6 cm
The Cleveland Museum of Art, en mémoire de Mr. and
Mrs. Humphreys, don de leur fille Helen, 1965.466

Toute l'Amérique centrale fait une large place aux oiseaux
dans son iconographie (cat. 108, 109, 115, 122 et 124).
Cet ornement très travaillé montre un aigle ou un vautour
dont le bec cruel, crochu, est signe de domination. Ses
ailes et sa queue, aplaties, sont stylisées géométriquement.
Sa coiffure est ornée de pendeloques plates à associer à
la métamorphose chamanique (cat. 130). L'image de
l'oiseau évoque aussi l'envol de l'esprit lors de la transe
rituelle.   **MEH**

L'Amérique du Sud

Le peuplement humain sur le continent sud-américain est ancien car sa présence est estimée à plus de 22 000 ans. Les recherches archéologiques ont démontré l'existence d'outils en pierre utilisés par des chasseurs-cueilleurs, de la côte caraïbe, au nord, jusqu'à l'extrême sud, en Patagonie et en Terre de Feu. Il y a 4 500 ans environ, des changements climatiques et les débuts de l'agriculture domestique conduisirent progressivement, comme dans les autres régions des Amériques, à la création de cités et à l'établissement d'un système social organisé et hiérarchisé. Parallèlement, les techniques faisant appel à des artisans spécialisés, comme l'architecture, la sculpture sur pierre, la céramique, le tissage et la métallurgie, se développaient grâce aux nouveaux besoins nés de l'urbanisation. Ainsi virent le jour de remarquables constructions monumentales, profanes ou sacrées. Des objets destinés à marquer le pouvoir des classes supérieures et des gouvernants furent également produits en nombre. Dans la plupart de ces sociétés anciennes, les personnes de toutes les catégories sociales, du fermier au chef de la cité, utilisaient ces œuvres d'art dans les rites de sépulture pour honorer leurs défunts et les préparer à l'au-delà.

L'essor culturel en Amérique du Sud fut en grande partie limité aux terres voisines de la chaîne des Andes, entre la mer des Caraïbes et le nord du Chili, incluant le Venezuela, la Colombie et, le long du Pacifique, l'Équateur et le Pérou. Le reste – recouvrant une aire considérable – appartient à deux grandes zones géographiques : la forêt tropicale humide amazonienne, qui recouvre aujourd'hui le Brésil et la Guyane ; les plaines et les hautes terres du sud des Andes, sur le territoire qui est celui de l'Argentine et du Chili. Les civilisations de ces dernières régions, qui profitèrent également des progrès de l'agriculture, réalisèrent des céramiques décorées et des sculptures cérémonielles en pierre, mais en moins grande quantité que leurs voisins du nord et de l'ouest, où la concentration urbaine était bien plus importante.

Les archéologues pensent qu'une grande partie des traits du fonds culturel andin trouve son origine au nord, dans les premières civilisations mexicaines, notamment olmèques. Les progrès techniques et les idées nouvelles, liés à l'important développement agricole en Mésoamérique (culture du maïs, du haricot et de la courge), se répandirent du Mexique aux autres régions des Amériques par les voies commerciales. Traversant successivement le Honduras, le Nicaragua, le Costa Rica et le Panamá, ces voies longeaient ensuite le littoral de la Colombie et de l'Équateur pour atteindre la région andine. Les échanges se faisaient également en sens inverse, vers le nord.

L'agriculture et la céramique apparurent d'abord le long de la côte pacifique de l'Équateur. Il y a 5 000 ans déjà, les habitants des villages côtiers de la région de Valdivia produisaient des céramiques décorées. Les objets les plus connus de cette période sont de petites figures féminines en terre, qui constituent les plus anciennes sculptures anthropomorphes des Amériques (ill. 2). De 1500 av. J.-C. à l'arrivée des Espagnols en 1550, l'Équateur vit se développer des cultures parfois florissantes, comme la culture manteño (500 environ à 1550 apr. J.-C.) dont on conserve de très élégantes figurines en céramique. Les créations artistiques très variées de cette région interprètent chacune à leur manière les thèmes communs de l'iconographie andine : la figure humaine stylisée, les animaux, les oiseaux, les poissons, et les motifs géométriques.

En Colombie, le travail de l'or, de l'argent et du bronze avait atteint une perfection technique (cf p. 121-132). La production de parures précieuses était un élément de l'organisation sociale mise en place par l'avènement de l'agriculture et par l'apparition de sociétés aux structures complexes. Ces ornements, qui avaient une fonction à la fois sociale et religieuse, relevaient d'une conception symbolique particulière de l'univers : l'or incarnait la sueur

Ill. 1
Centre cérémoniel du Machu Picchu, Pérou, photo Frédéric Célestin

MER DES CARAÏBES

HONDURAS

NICARAGUA

COSTA
RICA   PANAMÁ

TRINIDAD &
TOBAGO

VENEZUELA

GUYANE BRIT.

SURINAM

GUYANE FR.

COLOMBIE

ÉQUATEUR

CHIMÚ
Chan Chán ●
MOCHICA

BRÉSIL

CHAVÍN ● Chavín de Huántar

PÉROU

INCA

● Machu Picchu
● Cuzco

PARACAS

TIAHUANACO
L. TITICACA

NAZCA

BOLIVIE

OCÉAN PACIFIQUE

PARAGUAY

CHILI

URUGUAY

ARGENTINE

OCÉAN ATLANTIQUE

Carte des sites et des cultures du Pérou

du Soleil et l'argent, les larmes de la Lune. Les divinités associées au Soleil et à la Lune représentaient les aspects les plus fondamentaux de la force vitale et du pouvoir générateur de la nature. En portant des objets réalisés dans ces métaux, les individus étaient directement reliés à ces deux forces spirituelles célestes.

Les œuvres d'art les plus impressionnantes de la région Équateur-Colombie sont les grandes stèles du secteur de San Agustín, dans les montagnes colombiennes. Ces pièces imposantes furent découvertes parmi des sanctuaires et des ensembles funéraires enfouis dans des tumuli. Plus d'une trentaine de nécropoles ont été mises au jour sur plusieurs centaines de kilomètres carrés, suggérant l'existence d'un ensemble culturel unique couvrant une aire géographique importante. La plupart des sculptures figurent des guerriers en armes arborant les têtes coupées de leurs ennemis. Nombre de leurs attributs évoquent le jaguar, le plus grand félin carnassier du Mexique, d'Amérique centrale et d'Amérique du Sud, dont la figure était déjà très présente dans l'art et les cultures olmèque et maya. De même, les traits félins d'un grand nombre de personnages (yeux en amande, lèvres rétractées, crocs apparents) expriment de manière emblématique la force et l'agressivité qui se dégagent de cet animal dans l'art des Olmèques (ill. 3). Bien que l'on attribue principalement à ces derniers la diffusion du culte du jaguar de la Mésoamérique jusqu'aux Andes, l'archéologie de la culture chavín, située au centre-nord des montagnes péruviennes, corrobore une autre source de la figure de l'homme-jaguar.

C'est sur le territoire correspondant au Pérou que le plus grand nombre de civilisations se sont développées jusqu'à la fin de l'Empire inca au XVIe siècle. Cette aire culturelle comprend les hautes terres et l'altiplano andins, une partie de la montagne bolivienne et une frange côtière d'environ 160 kilomètres de large, le long de la côte du Pacifique. Le climat froid à tempéré ajouté à un sol fertile ont favorisé le développement de l'agriculture; on y

Ill. 2
Figurine de Valvidia, 3000-1800 av. J.-C., Équateur, collection Robert et Marianne Huber, photo Donna Kelly

Ill. 3
Stèle de San Augustín,
Iᵉʳ-VIIᵉ siècle, Colombie,
photo Gerardo
Reichel-Dolmatoff

végétation abondante au milieu du sable et des rochers du désert. Les habitants du Pérou cultivent ces vallées depuis plus de quatre mille ans. Vers 1800 av. J.-C., au début de l'époque initiale, des centres urbains se sont développés où, comme dans les hautes terres, un système culturel a commencé à prendre forme et a perduré pendant des milliers d'années. Le climat généralement très sec, en particulier sur la côte, a contribué à l'exceptionnelle conservation des matières organiques (textiles, vannerie, bois) et du métal des objets fabriqués par les anciens Péruviens. Cette richesse archéologique permet de reconstituer l'évolution de la civilisation du Pérou, des premiers chasseurs-cueilleurs jusqu'à la fondation des empires, ainsi que les débuts de l'agriculture, la formation progressive des villages et des cités.

La tradition artistique péruvienne débute dans les villages de la période précéramique, au nord de la côte, vers 2500 av. J.-C. Le site côtier de Huaca Prieta, au débouché de la vallée de Chicama, abritait un village typique de cette période. Environ deux cents personnes y vivaient de la pêche, du ramassage des mollusques, de la chasse, de la cueillette des plantes sauvages et de la culture, à petite échelle, du haricot, de la courge, du poivron, à quoi s'ajoutait la production de calebasses et de coton. Comme dans la plupart des sociétés précéramiques, les aliments étaient cuits dans des paniers remplis d'eau et de pierres brûlantes. Outre la vannerie, les habitants perfectionnèrent des techniques de filage, de tissage, de nouage, de remaillage et de teinture grâce auxquelles ils obtinrent des tissus en coton très élaborés dont les motifs constituèrent la base de l'iconographie sacrée péruvienne.

Certains tissus trouvés sur le site de Huaca Prieta étaient ornés de motifs géométriques, de figures humaines et animales. La technique du tissage limitant la création de motifs à une combinaison d'horizontales et de verticales, les images sont des représentations schématiques et géométriques des formes naturelles. Ces profils stylisés d'oiseaux, de

cultive depuis des milliers d'années la pomme de terre et le quinoa, qui sont des plantes locales, ainsi que le maïs et les haricots, importés du Mexique. Les habitants de cette région sont les seuls de toutes les Amériques anciennes à avoir domestiqué de grands animaux. Le lama et l'alpaga, utilisés comme bêtes de somme, étaient aussi élevés pour leur consommation et pour la laine. Dans certaines zones des hautes terres, les paysans aménageaient sur le flanc des collines de grandes terrasses permettant d'augmenter la surface cultivée. La richesse agricole et l'accroissement de la population qui en résultaient permit l'éclosion culturelle du Pérou.

Les conditions de la production agricole sur la côte pacifique, bande étroite, très aride, qui s'étire sur toute la longueur du pays, diffère totalement de la montagne. Une cinquantaine de petites vallées fluviales apportant l'eau des Andes jusqu'à l'Océan constitue par leurs sols fertiles les seules zones de

Ill. 4
Mur extérieur du temple
de Cerro Sechín,
vers 500 av. J.-C.,
vallée de Casma, Pérou,
photo Henri Stierlin

serpents et d'animaux marins subsistent dans les styles postérieurs de l'art péruvien, en particulier dans le sud (cultures paracas et nazca).

L'essor démographique et urbain lié aux progrès de l'agriculture conduisit à la formation de grands centres cérémoniels communautaires comme en Mésoamérique et en Amérique du Nord. De nombreux complexes socio-religieux, principalement des tertres à plate-forme, furent construits dans le nord du Pérou entre 1800 et 900 av. J.-C., les plus grands étant Los Aldas ou La Florida, près de Lima. Le temple de Cerro Sechín, dans la vallée de Casma, l'un des centres anciens les plus importants, se distingue par la qualité artistique de son architecture.

Située à flanc de colline, dans le bas de la vallée, la plate-forme de Cerro Sechín mesure 52 mètres de long. De part et d'autre de l'escalier d'accès sont sculptés en bas-relief environ soixante-dix monolithes hauts de 3 à 3,5 mètres, figurant des profils

d'hommes agressifs, de guerriers et de dignitaires en costume (ill. 4) ; ils sont associés à des corps démembrés et à de grandes têtes coupées. La cruauté de ces représentations reflète les rivalités entre ces communautés pour la possession de la terre et le pouvoir qui les conduisaient à s'affronter, voire à se faire la guerre. Le style de Cerro Sechín marque l'apparition de la figuration humaine dans l'art péruvien ; les lignes du dessin sont courbes et nettes, les détails réduits au minimum ; les visages, les corps et les motifs décoratifs vestimentaires sont rendus de manière abstraite et stylisée. Ces caractéristiques se retrouvent dans un grand nombre de cultures ultérieures, comme celle de Tiahuanaco, dans les hautes terres du Sud. Bien qu'on ne puisse reconstituer avec précision le mode de diffusion des différents styles sur des périodes et des longues distances, une continuité culturelle se dégage clairement dans le Pérou ancien à laquelle semblent avoir contribué les

Ill. 5
Reliefs gravés
de la stèle Raimondi,
900-200 av. J.-C.,
Chavín de Huántar,
Pérou,
dessin Gordon R. Willey

influences entre les différentes cultures au cours de leur évolution.

De 900 à 200 av. J.-C., environ, une nouvelle influence artistique appelée « horizon culturel chavín » – d'après le grand centre cérémoniel de Chavín de Huántar, dans les hautes terres centrales – se répandit. Le style chavín, dont on ignore toujours l'origine géographique exacte, fit son apparition vers 900 av. J.-C. dans la sculpture et la céramique des deux grandes régions du Pérou sous la forme de nouveaux motifs iconographiques. Il se caractérise par la représentation humaine, animale (aigle, serpent, caïman…), et de figures mythologiques hybrides mi-humaines, mi-animales. Le jaguar, grand félin prédateur, déjà très présent dans la culture olmèque du Mexique, constitue le thème animalier prédominant. Le trait courbe et sinueux favorise des motifs figuratifs complexes et souvent symétriques.

Chavín de Huántar était constitué par un ensemble de plusieurs grandes plates-formes, de bâtiments et de places disposées selon les points cardinaux (ill. 4). Situé sur une petite colline entourée de montagnes plus hautes, le site couvre une surface carrée d'environ 210 mètres de côté. Il a connu plusieurs phases d'agrandissement pour rassembler, finalement, une dizaine de bâtiments. Les plates-formes rectangulaires en maçonnerie qui s'élèvent à 13 mètres au-dessus de la place abritent des pièces, sans doute utilisées par les prêtres et les dignitaires, desservies par des galeries dotées de puits d'aération. Dans les salles centrales étaient placées de grandes figures en pierre et le temple principal était décoré à l'extérieur de têtes humaines et animales, sculptées dans des reliefs en pierre et en argile. Dans la salle centrale de ce temple principal se dresse un monolithe de granite de plus de 4 mètres de haut dont la surface entièrement sculptée représente un personnage masculin debout, appelé le « Lanzon ». Érigée au centre de l'espace cérémoniel, cette figure combinant les attributs de l'homme et de l'animal était manifestement la plus vénérée. Ses formes pleines, ses lignes courbes, la pupille ronde, tangente au bord supérieur de l'œil et les grandes boucles de cheveux en forme de serpents sont du style chavín classique.

Un autre monument sculpté de Chavín de Huántar, la stèle Raimondi, d'époque plus tardive, reprend cette représentation sacrée (ill. 5). C'est un homme debout, possédant des éléments du jaguar comme les griffes et les crocs. Sa ceinture est formée par quatre serpents, et sa chevelure constituée des reptiles lovés. Cette créature imposante tient dans chaque main un bâton-serpent à la décoration complexe. Cette imagerie du jaguar-serpent anthropomorphe comme celle de l'aigle aux attributs félins et reptiliens devinrent les motifs décoratifs principaux du style chavín en général. Celui-ci fut diffusé sur une grande partie du Pérou grâce aux céramiques, aux tissus et à toutes sortes d'objets décorés facilement transportables, qui participaient aux échanges commerciaux entre les différentes communautés et régions péruviennes.

Entre 900 à 200 av. J.-C. furent produites les céramiques de Chavín. On les trouve sur une vaste zone comprenant les hautes terres et la côte. Un grand nombre de ces pièces, découvertes sur des sites côtiers, sont souvent associées au style dit « cupisnique » du nom de la vallée où elles furent découvertes. De facture soignée, elles présentent des parois fines et des surfaces gris sombre ou brunes, polies. Il existe une grande variété de récipients sphériques ou cylindriques, mais le plus typique est la jarre de forme globulaire à fond plat, dont le goulot-étrier servait pour verser le liquide et pour transporter le récipient. Ces céramiques étaient ornées de motifs géométriques incisés ou en relief, de représentations de jaguars, d'aigles, de serpents et de figures anthropomorphes dotées d'attributs animaux. La grande variété de pièces uniques, dans la céramique de Chavín, montre la valeur accordée à l'interprétation personnelle d'une forme conventionnelle.

Le style artistique péruvien, apparu avec la culture chavín, s'étendit à d'autres populations et influença, semble-t-il, le développement de nombreux autres styles régionaux et locaux. Deux d'entre eux sont particulièrement connus pour la qualité et la variété de leurs arts : la culture nazca de la côte sud et la culture mochica, sur la côte nord.   EMM

La côte sud

C'est sur la péninsule de Paracas, sous l'influence de la culture chavín, qu'apparurent les premières traditions artistiques de la côte sud. Entre 900 et 200 av. J.-C., naquit, notamment dans la vallée d'Ica, un style de céramique fortement inspiré de l'art de Chavín, qui laisse supposer d'importants échanges entre les hautes terres centrales et les territoires au nord de la côte sud du Pérou.

La céramique paracas se distingue par la nouveauté de ses formes, de ses techniques et de son iconographie. Elle comprend une grande variété de bols et de flacons globulaires bas à deux goulots reliés par une anse-pont. Les motifs étaient obtenus par des techniques innovantes ; d'abord incisés dans l'argile crue, ils étaient peints, après cuisson, avec un pigment résineux dans différents tons d'ocre, de rouge et de jaune.

Interprétations abstraites de créatures animales et mythologiques, les représentations étaient principalement tirées du jaguar qui apparaît sous de nombreuses formes codifiées, la plus commune étant un dessin stylisé et net, de la tête du félin, avec ses yeux étroits, sa bouche ouverte découvrant les dents et les crocs, ses oreilles et ses longues moustaches. Le plus souvent, il ornait des vases à anse-pont dont il couvrait la plus grande partie des parois. Des variations locales recouraient à d'autres formes et à d'autres motifs, comme l'aigle, le faucon, le serpent, le renard ou l'être humain. Dans les flacons du style de Juan Pablo, l'un des deux goulots et l'anse étaient modelés respectivement en tête d'oiseau et en tête humaine. Certaines régions pratiquaient la sculpture proprement dite à partir du même répertoire de formes.

Par ailleurs, les habitants de Paracas qui cultivaient le coton et filaient la laine de lama et d'alpaga, ont créé une grande tradition de vêtements de facture remarquable. Les plus élaborés étaient spécialement confectionnés pour la sépulture des hauts dignitaires. Ce sont des tuniques et de grands manteaux teints en bleu foncé, en rouge ou en noir, sur lesquels sont brodés avec des fils de couleurs vives des motifs représentant des êtres humains, des jaguars, et les divers animaux et créatures hybrides de l'iconographie paracas.

Les Nazcas, héritiers directs de la culture paracas « chavinoïde », prospérèrent dans les grandes vallées de la côte sud, entre 200 av. J.-C. et 600 apr. J.-C. environ. Née dans les vallées d'Ica et du Rio Grande, la tradition nazca, célèbre pour ses énigmatiques géoglyphes (ill. 1), mais aussi pour ses tissus et sa céramique peinte, s'étendit rapidement aux autres régions côtières. Au cours des huit siècles de son histoire, l'art de la céramique s'y est largement développé. Dans la mesure où les changements de style sont apparus simultanément, semble-t-il, dans toutes les régions de l'aire nazca, on peut penser qu'il s'agissait d'une culture très intégrée, dotée de systèmes de communication efficaces et de nombreux relais administratifs, économiques et religieux. Les Nazcas, en effet, bâtirent de grandes agglomérations autour des tertres à plateforme et des places cérémonielles, dans le style péruvien. Comme dans les Amériques en général, l'essor culturel avait pour moteur la réussite de systèmes agricoles très efficaces dont les surplus assuraient la prospérité de la communauté. Dans cette société, la célébration des récoltes et des divinités bénéfiques à la fécondité de la terre occupait un rôle essentiel. L'art de la céramique, dont la destination est à la fois usuelle et rituelle, reflète par la richesse de ses décorations de nombreux aspects de la vie dans l'ancien Pérou.

De formes et de dimensions très variées, le grand nombre de pièces parvenues jusqu'à nous est caractérisé par une facture soignée, des parois fines, un poli très doux et régulier. Une large palette de pigments, allant du blanc au brun en passant par le gris, le mauve, l'orange et le rouge, était utilisée pour peindre les motifs avant que la terre ne soit cuite à haute température pour obtenir un matériau solide et résistant.

On peut observer plusieurs styles dans la chronologie de la céramique peinte nazca. Dans la première période deux catégories principales de déco-

Ill.1
Géoglyphe en forme
de colibri, 100-700,
nazca, Pérou,
reproduit dans
*The Ancient Americas.
Art from Sacred
Landscapes*,
The Art Institute
of Chicago, 1992

rations puisent leurs sources dans un fonds lié aux traditions religieuses. Le thème du masque félin, déjà présent dans les arts chavín et surtout paracas, devient un motif courant, prenant la forme d'un visage humain au regard fixe, les yeux largement ouverts, dont l'aspect félin est surtout souligné par de grandes moustaches de chat autour de la bouche (voir cat. 136). Les parois peuvent également être ornées d'une coiffure constituée par un visage abstrait stylisé muni de plumes qui partent du haut et des côtés. Des disques pendent souvent en long chapelet du bord de la coiffure, évoquant ceux, en or, que portaient les prêtres lors des cérémonies (ill. 2). Ces visages sont associés au corps d'un certain nombre d'animaux, formant ainsi des hybrides, créatures centrales de l'iconographie religieuse. Progressivement, la représentation des animaux anthropomorphes se fit plus stylisée, plus abstraite. Cependant, à mesure même que ces motifs devenaient plus conventionnels, le style figuratif, lui, gagnait en réalisme et en qualité plastique.

Les Nazcas furent les premiers parmi les peuples péruviens à représenter des éléments du monde naturel qui les environnait (animaux, plantes…). Dans leurs plus anciennes céramiques, un engobe d'argile blanche, rouge ou chamois, servait généralement de fond aux représentations polychromes d'une multitude de fruits, de légumes, d'oiseaux,

d'animaux, de poissons et de reptiles. D'après de nombreux spécialistes, la profusion de ces motifs réalistes tient au fait que la survie et la réussite de leur société reposaient sur une agriculture de subsistance ; ces évocations de la faune et de la flore pouvaient être un moyen de se concilier les forces spirituelles dont dépendaient la fertilité des moissons.

La dernière période de la céramique figurative révèle une attention nouvelle portée à l'observation des hommes, de leurs coutumes et de leurs activités. Par-delà l'usage traditionnel de la peinture ou de la sculpture pour représenter des images strictement codifiées, s'amorçait un courant iconographique qui faisait place à l'individu. L'art mochica contemporain, sur la côte nord, allait exprimer de manière encore plus aboutie ce développement.

À la fin de la période nazca au VIIe siècle, d'autres civilisations reprirent un grand nombre des traditions artistiques qui s'étaient développées dans la région pendant des siècles. La culture de la vallée d'Ica occupa le territoire nazca jusqu'à la conquête inca au XVe siècle. Les hautes terres du Sud connurent aussi de nombreuses cultures dont la plus importante, celle de Tiahuanaco, s'établit sur la rive sud du lac Titicaca, à la frontière actuelle du Pérou et de la Bolivie ; sa sculpture et, surtout, sa brillante céramique doivent beaucoup à l'influence nazca.

EMM

163

133

Récipient à double goulot, 900-200 av. J.-C.

Pérou, paracas
Céramique et pigments
H. 14,3 × long. 16,03 x L. 16,9 cm
The Minneapolis Institute of Arts. The Anne and Hadlai Hull Fund,
2002.58.2

Dans la péninsule de Paracas, située à la limite nord de l'aire culturelle de la côte sud, s'est épanouie une culture contemporaine de celles de Chavín et de Cupisnique, sur la côte nord. Ses artistes sont surtout réputés pour leurs grandes traditions de tissage et de céramique. Cette dernière comprend des récipients variés, anthropomorphes ou zoomorphes.

La forme ronde et basse comme le double goulot à anse-pont est typique du style paracas qu'adapteront plus tard les Nazcas. La céramique paracas s'éloigne des autres traditions andines par deux particularités techniques : le décor plat, obtenu avec des motifs en deux dimensions gravés avant cuisson ; les pigments minéraux dilués dans une préparation épaisse appliqués après la cuisson. Cette pièce associe curieusement les deux animaux les plus importants des anciennes religions du Pérou, le jaguar et l'aigle. Le premier, qui recouvre une moitié du flanc, est figuré par le masque félin. L'artiste a souligné les yeux aux

paupières lourdes, les narines dilatées, la gueule large, les dents et les crocs ; les motifs circulaires évoquent les taches de sa fourrure ; les formes longues en double crochet, sous les yeux, représentent peut-être, de manière abstraite, des serpents. Le second émerge du milieu du masque, car un des deux goulots tient lieu de cou et de tête pour un aigle qui, d'après la position des yeux et du bec, « tourne le dos » au jaguar. Ses ailes déployées sont formées par la partie haute du masque, évoquant ainsi en même temps les deux animaux.   EMM

134

Récipient à double goulot, 100 av.-600 apr. J.-C.

Pérou, nazca
Céramique et pigments
H. 21 × long. 15,6 × L. 16,5 cm
The Minneapolis Institute of Arts, fonds William Hood Dunwoody,
43.2.13

Inspiré du modèle paracas plus ancien, ce type de récipient se prêtait à la conservation des liquides dans un climat chaud et aride où l'évaporation est extrêmement rapide. L'anse et le dessus de la poterie sont recouverts d'un rouge nazca caractéristique, tandis que le blanc appliqué sur la panse fait ressortir la décoration peinte par-dessus. On voit ici représentés deux grands jaguars, corps de profil et tête de face comme dans le style chavín. La peinture de la céramique nazca se caractérise par sa stylisation, des contours brun-noir et des aplats de couleur unie pour indiquer les différentes parties du corps. Sur les flancs sont peintes les taches caractéristiques du jaguar ; les yeux, les moustaches et la langue ressortent plus que les dents ; les griffes longues et pointues sont les seules allusions au danger que pouvait représenter ce puissant adversaire.   EMM

135

Récipient zoomorphe, 100 av.-600 apr. J.-C.

Pérou, nazca
Céramique et pigments
H. 19 × long. 13,8 × L. 8,6 cm
The Minneapolis Institute of Arts, fonds William Hood Dunwoody,
43.2.10

La céramique nazca a conservé la tradition paracas des
récipients anthropomorphes et zoomorphes. Si le modèle
initial de cette pièce est la jarre à double goulot et à anse-
pont, sa forme évoque un pigeon, gonflant la gorge et
déployant la queue, un des deux goulots forme le cou et la
tête, le corps étant couvert d'un engobe blanc crème et les
ailes indiquées par deux motifs géométriques dentelés. Sur
la poitrine de l'oiseau, sont peints deux rangs de petits animaux en « S », peut-être des vers ou des chenilles dont le
pigeon est friand.   EMM

136

Récipient anthropomorphe, 100 av.-600 apr. J.-C.

Pérou, nazca
Céramique et pigments
H. 25,4 cm
The Minneapolis Institute of Arts, fonds William Hood Dunwoody,
44.41.12

Comme toutes les sociétés anciennes du Pérou, la société
nazca s'appuyait sur une classe de guerriers bien entraînés
servant dans les armées, chargés de la protection de l'État
et de son expansion territoriale. La tenue du guerrier comprend une tunique blanche et une coiffure circulaire ornée
d'un motif solaire, d'où pendent, de chaque côté, des cha-
pelets de trois disques figurant des cercles d'or. Elle est
complétée par un masque félin obtenu par une feuille d'or
fixée sous le nez, qui transforme l'homme en homme-
jaguar. Dans une main, il tient une masse d'armes, dans
l'autre, la tête coupée d'un ennemi.   EMM

Cat. 137

Cat. 138   Cat. 139   Cat. 140

137
Jarre, 100 av.-600 apr. J.-C.

Pérou, nazca
Céramique et pigments
H. 39,7 × long. 22,5 × L. 22.5 cm
The Minneapolis Institute of Arts, fonds William Hood Dunwoody,
42.61.14

Cette grande jarre anthropomorphe représente un guerrier
assis. Vêtu d'une tunique qui laisse les bras et les jambes
nus, il est coiffé d'un turban en tissu noué sur le côté et
porte un collier de perles à deux rangs. Conformément aux
conventions de l'iconographie nazca, le personnage
regarde droit devant lui et les yeux paraissent d'autant plus
grands qu'ils sont soulignés par deux triangles peints en
rouge. Le guerrier tient en main une fronde. Cette arme en
fibre tressée – caractéristique des cultures andines comme
la massue, la masse d'armes et le javelot – permettait de
lancer des pierres avec une précision et une puissance mor-
telles.   EMM

138
Récipient anthropomorphe, entre 150 et 350

Pérou, nazca
Céramique et pigments
H. 19,4 x diam. 15,6 cm
Dallas Museum of Art, fonds général d'acquisitions, 1972.28

139
Récipient anthropomorphe, 100 av.-600 apr. J.-C.

Pérou, nazca
Céramique et pigments
H. 20,3 cm
The Minneapolis Institute of Arts, fonds William Hood Dunwoody,
42.61.9

140
Récipient anthropomorphe, 650-800

Pérou, nazca
Céramique et pigment
H. 28,3 × long. 19,7 × L. 26,7 cm
The Minneapolis Institute of Arts, fonds William Hood Dunwoody,
44.41.11

Les guerriers nazcas comme ailleurs dans le Pérou ancien
emportaient les têtes de leurs ennemis vaincus. Les trophées de têtes apparaissent sur les céramiques, mais aussi
sous forme de motifs. Selon les cas, les yeux sont représentés ouverts, comme ici, ou fermés. Modelées chacune
selon un style différent, ces trois têtes mettent en valeur
l'esthétique propre à chaque région autant que les particularités stylistiques des ateliers ou des artistes. Chacune
évoque un individu précis. La première est la tête d'un
homme au visage plein et arrondi, avec une petite barbe ;
les yeux sont soulignés d'un double trait et la coiffure, en
tissu, est décorée de cercles blancs se détachant sur un
fond rouge sombre. La deuxième est le portrait d'un
homme qui porte une moustache et une petite barbe ; une
bande rouge lui barre les yeux et le nez, et son turban est
orné d'une fronde. Le troisième présente un visage plus
long et plus étroit, avec un grand nez saillant ; sous les
yeux étroits et vifs apparaissent de longues marques
rouges, comme des larmes. Ces têtes à l'effigie d'ennemis
vaincus étaient placées dans la tombe des guerriers pour
symboliser leurs prouesses et leurs combats victorieux.

EMM

141

Double récipient anthropomorphe, vers 350-450

Pérou, nazca
Céramique et pigment
H. 21,3 × long. 21 × L. 8,6 cm
Dallas Museum of Art, fonds général d'acquisitions, 1971.59

À gauche, un guerrier tient, dans une main, plusieurs jave-
lots et une massue et, dans l'autre, une plante qui ressemble à un piment. À droite, une femme au corps de
couleur crème tient aussi une telle plante. Sous les fruits,
les motifs aux hachures croisées représentent le dessous
des pieds des personnages. Peut-être le couple, assis, par-
ticipe-t-il à une cérémonie rituelle au cours de laquelle était
utilisée cette plante. Les visages sont couverts de peintures
cérémonielles, qui jouaient un rôle important dans le rituel
social des anciens Péruviens.   EMM

142

Récipient, 100 av.-600 apr. J.-C.

Pérou, nazca
Céramique et pigments
H. 14 × diam. 13,7 cm
The Minneapolis Institute of Arts, fonds William Hood Dunwoody,
43.2.3

Sur les céramiques nazcas tardives, les corps tendent à
s'étirer horizontalement. Le visage est vu de face, les bras
tournés vers le spectateur. Ici, un homme tient dans une
main un couteau à lame de cuivre et dans l'autre un bâton-
serpent. Des sortes de pompons décoratifs, sans doute des
fruits, sont attachés à sa tunique, à sa coiffure, et à son
bâton. S'ajoutant au costume, une grande forme le
recouvre du haut du dos jusqu'aux pieds. C'est une grande
aile, dont la partie médiane comporte un visage stylisé,
bouche ouverte et langue tirée, et qui se termine par une
série de plumes aux couleurs alternées. Il s'agit peut-être
d'un personnage qui participe à un rituel ou d'un guerrier
comme d'un chaman. La poterie est ornée par deux de ces
figures.   EMM

143

Masque de bouche, 200-600

Pérou, nazca
Or martelé, cinabre
H. 20,3 × L. 22,9 cm
Fine Arts Museums of San Francisco, fonds Mme Paul Wattis,
1992.33

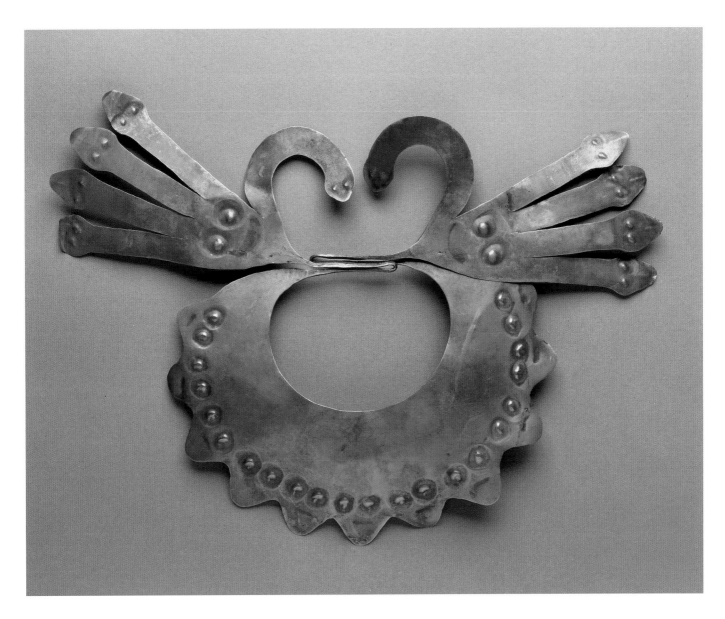

144

Masque de bouche, 100-700

Pérou, nazca
Alliage d'or martelé
H. 14 × L. 19,4 cm
The Cleveland Museum of Art, acquisition provenant du fonds
J. H. Wade, 1945.377

Les Nazcas enterraient leurs notables avec faste. Le corps était revêtu de linges fins et de bijoux puis enveloppé dans de grandes pièces de tissu. Dans des cas plus particuliers, un masque d'or était attaché à l'emplacement du visage comme ceux-ci en or martelé. L'ornement, qui encadrait la bouche, était fixé sur la cloison séparant les narines (septum) qu'il pinçait entre ses extrémités supérieures. Les longues moustaches félines se terminent en têtes de serpents ; ainsi, le masque, qui indique à la fois l'appartenance religieuse et le rang social, associe deux animaux vénérés pour leur puissance. Le cinabre qui recouvre le masque était un pigment sacré, appliqué avant que l'objet ne soit enterré avec son possesseur.   EMM

145

Bol, 200-500

Pérou, nazca
Céramique et pigment
H. 10,1 × diam. 14,3 cm
Virginia Museum of Fine Arts, Richmond, don du docteur Juan
de Dios Martínez, 74.1.8

La plupart des bols fabriqués par les Nazcas étaient décorés extérieurement. On remarque sur cette pièce une particularité du style nazca. Tirant parti de la forme du bol et de sa symétrie, les artisans ont représenté un seul visage pour deux corps. Ici, il s'agit d'un animal dont la tête présente les traits caractéristiques du félin : oreilles triangulaires, yeux fixes en ovale, langue tirée, et moustaches félines figurées par un masque de bouche (cf cat. 143). Les lèvres tombantes et le front marqué de lignes noires lui donne un visage triste. Cette représentation nazca illustre le talent des artistes à montrer des images multiples, qui reflètent leur conception des relations entre le monde naturel et le monde spirituel. EMM

146

Bol, 100 av.-600 apr. J.-C.

Pérou, nazca
Céramique et pigments
H. 14 cm
The Minneapolis Institute of Arts, fonds William Hood Dunwoody,
42.61.13

De nombreuses céramiques nazcas représentent des activités, humaines ou animales. Ce bol peu ordinaire montre deux hommes nageant sur le dos ou sur le côté. Les personnages, vus de face, sont cernés d'un large trait sombre ; la cage thoracique et l'abdomen sont figurés par des chevrons et des rectangles concentriques. Sur le fond, les vagues et les mouvements de l'eau sont rendus par des lignes courbes entrelacées au hasard. EMM

147

Bol, vers 150-350

Pérou, nazca
Céramique et pigments
H. 8,7 × diam. 13,5 cm
Dallas Museum of Art, collection Nora et John Wise, don de
M. et Mme Jake L. Hamon, de la famille Eugene McDermott,
de M. et Mme Algur H. Meadows et de la Fondation Meadows,
et de M. et Mme John D. Murchison, 1976.W.169

Ce bol large et bas est rouge à l'intérieur et sur le bord, tandis que l'extérieur est entouré d'une large bande blanche contenant l'image de trois grands oiseaux représentés à la file et tournés vers la gauche. Des zones contrastées de peinture rouge, orange ou blanche, appliquée avant cuisson, indiquent les yeux, les ailes et la queue. Le grand nombre d'oiseaux représentés sur la céramique nazca atteste la grande sensibilité de ce peuple à l'égard de son environnement naturel. EMM

Cat. 147

148

Récipient à double goulot, 100 av.-600 apr. J.-C.

Pérou, nazca
Céramique et pigments
H. 17.8 cm
The Minneapolis Institute of Arts, fonds William Hood Dunwoody,
44.3.29

Les Nazcas pêchaient beaucoup en rivière et le long de la
côte du Pacifique. Parmi les animaux observés et représentés, figurent souvent des oiseaux capturant leur proie, qui
représentent le modèle naturel du pêcheur chanceux. On
voit sur ce récipient deux grands pélicans identifiables à
leurs pattes palmées et à la grande poche sous leur bec,
dans lequel ils viennent de prendre du poisson. Une frise
de végétaux ressemblant à des piments entoure la base du
récipient.   EMM

149

Gobelet, 100 av.-600 apr. J.-C.

Pérou, nazca
Céramique et pigment
H. 15,6 × diam. 10,2 cm
The Minneapolis Institute of Arts, fonds William Hood Dunwoody,
42.61.11

Sur ce grand gobelet au bord évasé sont peints quatre
oiseaux fréquentant les rivages au cou très long. Chacun a
capturé une sorte de serpent qu'il tient dans son bec, par
la tête ou par la queue, et qui se tortille. Le peintre a bien
représenté le corps et la grande tête des oiseaux, mais le
cou n'est évoqué que par une longue ligne sinueuse abstraite.   EMM

150

Récipient zoomorphe, 100 av.-600 apr. J.-C.

Pérou, nazca
Céramique et pigments
H. 13,7 × long. 21 × L. 10,2 cm
The Minneapolis Institute of Arts, fonds William Hood Dunwoody,
44.3.59

La côte pacifique du Pérou recèle de nombreuses variétés
de poissons, attirés par les ressources alimentaires qui
abondent le long du courant de Humboldt. Les Nazcas ont
représenté sur leurs céramiques les espèces variées de poissons et d'animaux marins dont ils se nourrissaient. Le récipient a un corps rond et charnu; les nageoires et les
branchies sont figurées par des lignes courbes et des
hachures. Les écailles sont indiquées un peu au hasard par
des traits de pinceau sur le dos du poisson. Un double goulot à anse-pont est placé sur son dos.   EMM

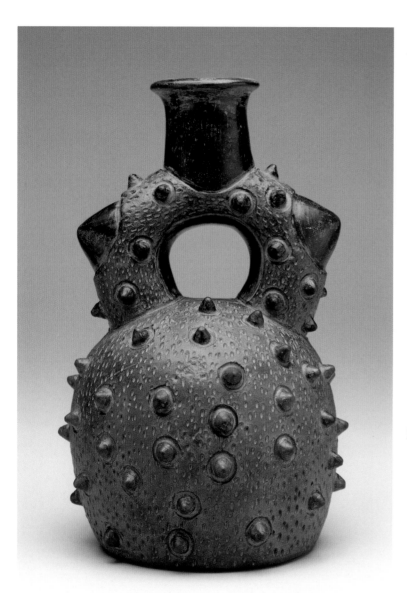

151

Jarre à goulot-étrier, 900-200 av. J.-C.

Pérou, chavín-cupisnique
Céramique
H. 22,9 cm
The Minneapolis Institute of Arts, don de Austin J. Baillon, 77.59.5

Des céramiques de style chavín archaïque furent produites dans de nombreuses zones où cette culture exerça son influence, au centre-nord du Pérou, des hautes terres jusqu'à la côte. De très remarquables spécimens ont été trouvés dans des vallées côtières, sites de la culture dite de cupisnique, qui appartient à la sphère d'influence chavín. Les céramiques chavín-cupisnique sont généralement figuratives, mais une grande proportion, notamment les plus belles ne le sont pas, s'attachant surtout à la qualité visuelle et tactile des surfaces très travaillées. Cette jarre à goulot-étrier est typiquement cupisnique. Ici, le potier semble avoir recouvert la forme moulée d'une couche d'argile, parsemée de petites formes coniques saillant de la surface granuleuse. Cela évoque l'écorce de certains arbres et montre avec quelle liberté l'artiste chavín jouait des textures et des formes abstraites.   **EMM**

152

Jarre à goulot-étrier, 900-200 av. J.-C.

Pérou, chavín-cupisnique
Céramique
H. 25,7 × long. 14,9 × L. 14,3 cm
The Minneapolis Institute of Arts, don de David et Sara Lieberman, 2001.198.7

Le jaguar est l'un des symboles religieux les plus importants dans toutes les cultures andines. Il est représenté sous différentes formes qui, généralement, mettent en valeur la puissance de son attaque. Figure sacrée majeure de la culture chavín, le jaguar est souvent associé aux guerriers et aux gouvernants. Cet animal est évoqué par la sculpture en relief décorant la jarre à goulot-étrier. Un grand félin occupe tout le côté ; sa tête ronde – yeux fendus et vifs, gueule grondante découvrant les dents et les crocs – se détache de la paroi de la céramique. Sur chaque bras de l'anse est sculpté un petit jaguar dont la queue s'enroule autour du goulot. Ailleurs, des formes stylisées en « S » rappellent les taches de sa fourrure.   **EMM**

La côte nord

Les vallées de la côte nord du Pérou abritent et nourrissent depuis 8 000 ans au moins des peuples dont les civilisations créèrent les plus grands centres urbains de toute l'Amérique du Sud. De 900 à 200 av. J.-C., l'influence de la culture chavín se fit fortement sentir dans ces régions comme l'attestent de nombreuses céramiques.

À partir de 100 av. J.-C., un nouvel État s'étendit depuis la vallée du fleuve Moche (ill. 1), qui se trouve au milieu de la côte nord. Le peuple de Moche (les Mochicas) établit un pouvoir théocratique puissant qui domina du début de notre ère à 750 apr. J.-C environ la zone s'étendant de la vallée de Lambayeque à celle du Rio Nanpeña, à 250 kilomètres au sud.

Ses habitants surent mettre en valeur les plaines inondables fertiles, en contrôlant l'irrigation par des réservoirs, des aqueducs et des canaux destinés à réguler les variations saisonnières des fleuves. Comme la plupart des civilisations du Pérou, leur agriculture reposait sur la culture d'une grande variété de fruits et de plantes potagères (maïs, haricot, courge, poivron, patate douce…). L'alpaga et le lama étaient élevés pour leur laine et leur consommation, le second servant également au transport des marchandises ; le cochon d'Inde et le canard de Barbarie complétaient cette alimentation ainsi que la pêche et la chasse.

La production de surplus agricole permit l'émergence d'une société différenciées, où ceux qui avaient un savoir-faire spécialisé pouvaient vivre sans produire des denrées alimentaires. Libérés des travaux quotidiens, ils pouvaient se consacrer à la création d'objets utilitaires et rituels.

Très hiérarchisée, la société mochica fonctionnait selon un système de type féodal fondé sur le contrôle de la terre et de ses ressources : ceux qui possédaient et travaillaient la terre soutenaient les seigneurs féodaux locaux qui, en échange, assuraient leur protection à une époque de guerres fréquentes. Ces seigneurs appartenaient à des lignages à l'intérieur desquels se transmettaient titres et pouvoirs. La noblesse locale faisait allégeance à des suzerains et, en dernier lieu, au roi, souverain divin qui vivait dans la ville de Moche, grand centre administratif, militaire, économique et religieux. Située dans la vallée du fleuve du même nom, elle comprenait de vastes zones d'habitation et un complexe cérémoniel immense qui couvrait des centaines d'hectares, dominé par deux massives pyramides à degrés, en briques crues. L'édifice le plus important, la pyramide dite « du Soleil », sur une base de 228 mètres sur 136, s'élève à 41 mètres au-dessus de la place qui la relie à d'autres temples à plate-forme (ill. 2). Non loin, les Mochicas érigèrent une autre grande structure en adobe, appelée « pyramide de la Lune », sur laquelle ils construisirent une série de bâtiments comprenant des grandes salles entourées de cours. Des archéologues ont découvert dans ces salles des murs entièrement peints représentant des cérémonies rituelles. Ces constructions impressionnantes étaient sans doute le siège officiel des autorités administratives et religieuses. Leur réalisation mettait à contribution des centaines d'individus qui s'acquittaient ainsi de leurs obligations envers l'État sacralisé.

Si les sépultures des dignitaires prenaient place dans les grands tertres des temples à plate-forme, elles se trouvaient en grand nombre en bordure des zones cultivées de la communauté. Leur étude archéologique a fourni d'abondantes informations mettant en lumière la hiérarchisation de la société. Le rituel funéraire impliquait de revêtir le défunt des vêtements, bijoux et accessoires dus à son rang. Le terrain, sec, en a conservé des milliers de grande qualité artistique où sont représentés des hommes ordinaires, des animaux, des architectures, des objets profanes et sacrés, des personnages et des événements religieux. Ils constituent une encyclopédie visuelle du monde mochica, sans équivalent dans aucune autre culture de l'Amérique ancienne.

Depuis la fin du XIXᵉ siècle, l'étude de cette culture, a permis, grâce à sa céramique, de définir cinq

Ill. 1
Vallée de Moche
(au centre, la pyramide du Soleil), Pérou

Ill. 2
Pyramide du Soleil,
100-700,
mochica, Pérou

phases stylistiques principales. Alors que les formes et les proportions des récipients évoluaient progressivement, les motifs figuratifs de la sculpture et de la peinture gagnaient en réalisme, en sens du détail et en complexité visuelle. La plupart des pièces mises au jour dans les tombes sont de couleur unie, rouge ou blanc, les autres étant peintes de motifs illustrant la vie mochica ou composées d'images en relief ou d'effigies en trois dimensions.

La forme la plus typique était la jarre à goulot en étrier, modèle venu de l'aire chavín. Le céramiste modelait d'abord la forme pleine du corps de la jarre, puis il en prenait un moulage, qu'il divisait en deux parties. Le coulage dit « en barbotine » dans ces empreintes donnait les deux moitiés de la jarre, à laquelle il ajoutait le goulot en étrier fabriqué à part, puis son décor peint, avant cuisson. Ce type de récipient était très pratique : son goulot étroit réduisait l'évaporation et l'anse, qui permet le passage du liquide d'un côté et de l'air de l'autre, le rendait facile à transporter.

Cuites à haute température, ces céramiques constituaient des récipients solides dont les parois fines étaient méticuleusement polies. Leur décor se détache sur un fin engobe d'argile crème ou rouge. La palette est plus limitée que chez les Nazcas : les détails étaient peints à l'aide d'un enduit blanc crème et une palette de rouges et d'oranges. Dans les premières phases, la peinture se limite à la représentation sommaire d'une ou deux figures. Progressivement, le style évolua vers des compositions narratives détaillées couvrant toute la surface du vase et de la poignée. Les représentations, étroitement liées aux croyances et à l'ordre théocratique de l'État, accorde une place importante à la faune et à la flore. Parmi les motifs animaliers, très utilisés, la chouette et l'aigle relèvent directement de l'iconographie sacrée. Le renard, le jaguar, le singe, le serpent ou le lion de mer renvoient plutôt à l'univers surnaturel des guérisseurs et des chamans. Au nombre des plantes, on reconnaît des espèces sauvages ou cultivées : courge, haricot, poivron, différents types de gousses sauvages dont

celles de l'acacia connu pour ses pouvoirs hallucinogènes et thérapeutiques.

La vie cérémonielle et religieuse est également abordée sous forme de scènes : des gens s'approchent du trône et présentent des offrandes à leur souverain richement vêtu. Les styles picturaux tardifs illustrent des thèmes encore plus élaborés composés de nombreux personnages et de séquences narratives qui témoignent d'une observation aigüe de l'espace – visualisation de la profondeur – et du mouvement.

L'art mochica parvint à mettre en valeur l'individu à travers certains détails vestimentaires distinctifs ou des ornements et attributs officiels que sont les coiffures figuratives, les casques, les massues, les bâtons, les couteaux ou les bijoux. Mais au-delà de ces signes extérieurs, l'attention portée à la physionomie singulière est tout à fait nouvelle. Un grand nombre de céramiques peintes ou, plus encore, sculptées, sont des portraits. Les plus saisissants sont en forme de vase et traduisent avec une grande sensibilité le regard et le caractère du modèle. Des prêtres et des guerriers sont souvent représentés, mais aussi des figurations zoomorphes, des hybrides d'homme et d'animal, appartenant à la mythologie. L'activité artisanale – scènes de tissage ou de fonderie – et les activités quotidiennes – la chasse ou la mastication de la feuille de coca – font également partie des thèmes illustrés, précieuse source de connaissances sur cette civilisation.

Alors que les Mochicas dominaient les vallées de la côte nord, d'autres cultures guerrières et expansionnistes prospéraient dans les hautes terres et les régions côtières du sud. Peu après 750 apr. J.-C., le royaume mochica était vaincu par les Huaris (ou Waris), groupe politiquement lié à la culture de Tiahuanaco, située dans les hautes terres du Sud, près de la Bolivie actuelle.

Avec les cultures mochica et nazca, la société péruvienne avait amorcé sa centralisation. La politique, l'économie, la guerre et la religion sont alors aux mains d'une classe de gouvernants constituant

l'administration d'État. Après les Mochicas et les Huaris, cette nouvelle structure continua d'évoluer sur la côte nord. Vers l'an 900 émergea le royaume de Chimor, peuplé par les Chimús, qui avait établi sa capitale, Chanchán, dans la vallée de Moche. Cette immense ville était reliée au reste du territoire par un réseau de routes et de forts militaires, anciennes constructions que les nouveaux maîtres de la région agrandirent. Ces voies de circulation protégées étaient essentielles au maintien et au développement du système d'échanges de marchandises et d'informations sur tout le territoire de l'État ; elles servaient aussi au déplacement rapide des troupes, qui pouvaient ainsi assurer le contrôle et la protection des frontières. Les Chimús améliorèrent le système mochica de canaux et de réservoirs d'irrigation sur lequel reposait leur agriculture intensive. Les surplus alimentaires, contrôlés par le gouvernement central, étaient stockés dans de grands entrepôts ou greniers. La hiérarchisation extrême de la société chimú se traduisait par l'existence de nombreuses catégories de métiers spécialisés, depuis l'armée et l'administration, jusqu'à la main-d'œuvre qualifiée

et aux divers artisanats nécessaires à une société urbanisée. Cette organisation se traduisait dans l'espace urbain : au lieu de s'organiser autour de grandes constructions cérémonielles, comme les temples à plates-formes, les villes comportaient des blocs d'habitation ceints de murs rectilignes, chacun habité par un groupe de personnes apparentées.

Avec plus de 20 000 habitants, Chanchán était la plus grande cité de l'Amérique du Sud ancienne. Elle s'étendait, dans la vallée, sur près de 15 kilomètres carrés et comptait au moins une dizaine de blocs dont certains formaient des rectangles longs de 400 mètres et larges de 200 mètres entourés de murailles d'adobe derrière lesquelles prenaient place les bâtiments, les salles et les cours réservées aux familles de l'élite chimú. Les murs de nombreuses de salles y étaient décorés de motifs en relief peints, témoignant de la richesse de leurs habitants (ill. 3). Les Chimús excellaient aussi dans les arts du tissage (ill. 4), de la sculpture sur bois, de l'orfèvrerie et de la céramique.

Cette dernière s'appuie sur la tradition mochica, mais est, en général, de moins grande qualité esthé-

Ill. 5
Cuzco, site de l'ancienne
capitale inca,
1400-1532, Pérou,
reproduit dans
*The Ancient Americas.
Art from Sacred
Landscapes*,
The Art Institute
of Chicago, 1992

tique; de couleur noire ou gris sombre et non peinte, contrairement à la tradition péruvienne, sa décoration s'exprime toujours par le relief et la sculpture. En plus des thèmes végétaux et animaliers, elle représente des personnages mythologiques qui rappellent nettement ceux de l'art mochica.

L'État chimú continua d'exercer son influence sur de larges territoires au nord du Pérou, jusqu'au milieu du XVe siècle, lorsqu'il fut à son tour soumis par les Incas, autre société militaire émergente qui allait étendre sa domination du nord au sud de la région, et créer ainsi l'empire le plus vaste de toute l'Amérique du Sud ancienne.

L'expansion inca commença vers 1400 à partir de leur territoire situé sur les hautes terres méridionales. Cuzco, leur capitale, était la résidence du souverain, des nobles de la cour, ainsi que des dirigeants administratifs, militaires et religieux et de leurs familles (ill. 5). Le nom « inca » désigne le souverain de droit divin, sa famille, l'entourage des chefs résidant à Cuzco, et toute la population de l'Empire. Cette civilisation, la plus organisée de toute l'Amérique du Sud, est connue en détail grâce aux observations et commentaires rapportés par les Espagnols, qui conquirent l'Empire en 1533.

La domination des Incas ne doit rien aux innovations techniques ou agricoles, mais tient plutôt à

leur compétence militaire – armée de métier performante – et administrative – organisation du travail par groupes de 10 000 personnes, subdivisés en 5 000, 1 000, 500, 100, jusqu'à 10, avec un responsable à chaque échelon. Ce système parfaitement intégré faisait remonter l'information jusqu'à son centre, à Cuzco. Le traitement des affaires administratives et militaires était facilité par un réseau efficace de chemins et de routes qui assurait la circulation, en temps voulu, des troupes, de l'information et des marchandises dont dépendait l'expansion de l'Empire. Son unité était assurée par la langue, la religion et une politique tolérant le maintien des coutumes religieuses locales. Les Incas imposèrent leur idiome, le quechua, comme langue officielle, toujours dominante aujourd'hui chez les autochtones des hautes terres centrales andines. Guerriers sans états d'âme, ils savaient aussi trouver des voies politiques à leur expansion territoriale : les dirigeants locaux étaient intégrés dans la hiérarchie inca élargie et soutenus aussi longtemps qu'ils payaient un tribut en marchandises et en main-d'œuvre et qu'ils reconnaissaient la suprématie de l'Inca, l'empereur divinisé, et du dieu Soleil, qui était au centre de la religion d'État.

La tradition orale inca fait remonter l'origine de la dynastie royale à 1200 apr. J.-C. C'est le neuvième souverain, Pachacutec-Inca Yupanqui (1438-1471) qui se donna pour tâche d'agrandir le territoire par la force. Avec son fils et héritier, Tupac-Inca Yupanqui, il commença par élargir la base de son pouvoir dans les hautes terres, de telle sorte qu'en 1471 il contrôlait la majorité de la côte péruvienne et une partie de l'Équateur. Les armées de Pachacutec-Inca Yupanqui renversèrent le royaume chimú dans la vallée de Moche. Comme son père, Tupac-Inca Yupanqui poursuivit avec passion l'accroissement de l'Empire et, durant son règne, de 1471 à 1493, il conquît la côte sud-ouest du Pérou, le sud de la Bolivie, le nord de l'Argentine et du Chili. Son successeur, Huayna Cápac, fit mouvement avec l'armée vers le nord, annexant l'Équateur et une grande partie des régions voisines. Il fit de Quito la capitale du nord de l'empire, qui s'étendait alors sur plus de 3 000 kilomètres le long des Andes, de l'Équateur au Chili, et regroupait, en populations diverses, pas moins de six millions de sujets. Le centre cérémoniel de l'Empire était le grand temple du Soleil de Pachacamac. Dans tous les secteurs de l'Empire, des villes comparables mais plus petites furent construites, toutes remarquables par les murs massifs, en pierre magnifiquement taillée, des bâtiments incas ; l'exemple même de cette architecture est le site de Machu Picchu, dans les montagnes au nord de Cuzco (ill. 6). En céramique, en art textile, dans le travail de l'or, de l'argent et du cuivre, et en sculpture, les Incas créèrent un style décoratif original mais plus conservateur que nombre de ceux qui l'avaient précédé. Il se limita, en céramique, à quelques formes élégantes nouvelles comme celles des aryballes, jarres ornées de petits motifs géométriques répétitifs. Ils produisirent aussi des figurines moulées en argent, représentant des êtres humains et des lamas. Leur taille réduite pourrait indiquer qu'il s'agissait d'images pieuses à usage individuel ou d'amulettes. Les Incas créèrent, en revanche, une forme nouvelle de récipient pour boire, nommé *kero* (cat. 175 à 177). Ces timbales évasées, en bois, sont ornées d'incisions et peintes. Ces *keros* présentent deux zones décorées : l'une, vers le bas, est souvent saturée de motifs géométriques inspirés des tissus ou des plantes, l'autre, vers le bord supérieur, représente généralement une procession de personnages en costume. Ces *keros* peints sont les seuls témoignages visuels incas représentant des notables, des prêtres, des guerriers, des commerçants et même des Espagnols.

La mort de Huayna Cápac à Quito, en 1525, marqua la fin de l'Empire inca et le début de la domination impériale espagnole sur le Pérou et sur la majorité de l'Amérique du Sud andine. Huayna Cápac mourut vraisemblablement de la variole ou de la rougeole, maladies introduites par les Espagnols et les autres Européens. À sa mort, la guerre civile éclata entre ses deux fils qui se disputaient sa succession. En 1532, Atahualpa, gouverneur de Quito, consolida sa victoire et devint le nouvel inca, mais alors même qu'il célébrait son accession au trône, la nouvelle lui parvint d'un débarquement espagnol sur la côte du Pérou, sous les ordres de Francisco Pizarre. Quelques mois plus tard, lors de la première rencontre à Cajamarca d'Atahualpa et de Pizarre, l'armée de ce dernier prit au piège l'entourage de l'Inca. Des milliers de chefs furent tués et leur souverain retenu en otage contre une rançon énorme en or et en argent. La rançon payée, Pizarre fit assassiner Atahualpa en 1533 et les Espagnols s'emparèrent du pays. L'Empire inca était très vulnérable du fait de la centralisation de sa hiérarchie et de son étendue considérable. Ainsi prirent fin les milliers d'années de développement culturel indépendant des peuples habitant les Andes et de tous les pays d'Amérique du Sud. Les peuples autochtones durent s'ouvrir aux influences de la langue, de la culture et de la religion européennes. Cependant, de nombreux aspects de leur culture survécurent, notamment dans les régions montagneuses. L'art du tissage, dont la pratique est toujours forte aujourd'hui, reste peut-être le lien le plus vivant avec les grandes traditions des ancêtres.   **EMM**

Ill. 6
Le temple des trois fenêtres, Machu Picchu, vers 1500, inca, Pérou, photo Frédéric Célestin

153
Récipient zoomorphe, 450-550

Pérou, mochica
Céramique et pigments
H. 22,5 × long. 24,8 × L. 13,3 cm
Dallas Museum of Art, collection Nora et John Wise,
legs de Nora Wise, 1989.W.128

Les Mochicas, comme les autres cultures sud-américaines, associent le jaguar aux souverains, aux guerriers et aux divinités importantes. L'animal est souvent représenté soit par des attributs, soit sous forme symbolique dans les parures ou les costumes des guerriers ou des prêtres. Ce récipient zoomorphe montre un jaguar couché sur le ventre, les pattes de devant repliées sous le corps, la tête redressée, en alerte. Les oreilles sont pointées vers l'avant et la gueule s'ouvre dans un grondement agressif qui découvre les crocs. Les rangées de points rouges sur le corps figurent les taches de la fourrure. **EMM**

154
Récipient anthropomorphe, 100-200

Pérou, mochica
Céramique
H. 20,8 × long. 11,4 × L. 13,5 cm
Dallas Museum of Art, collection Nora et John Wise, don de
M. et Mme Jake L. Hamon, de la famille Eugene McDermott,
de M. et Mme Algur H. Meadows et de la Fondation Meadows,
et de M. et Mme John D. Murchison, 1976.W.101

C'est dans le royaume mochica que s'est établie la tradition artistique la plus savante et la plus raffinée de l'ancienne Amérique du Sud. Ses artistes et artisans expérimentés produisirent un ensemble d'objets d'une qualité technique et esthétique exceptionnelle. Les Mochicas excellaient dans la fonte et le battage de l'or et de l'argent, ainsi que dans le travail minutieux de moulage du cuivre à la cire perdue. Ils créèrent aussi des figures sculptées en bois, des incrustations complexes de pierre et de coquille, des tissus, mais la céramique était l'artisanat le plus important. Si bols, jarres et coupes en céramique non décorée étaient destinés à l'usage quotidien, une production de poteries peintes et sculptées de grande qualité répondait à la demande des

dignitaires religieux, des personnages officiels et, généralement, des couches supérieures de la société. La plupart de
ces objets était déposée dans les tombes des notables
comme offrandes funéraires. La céramique mochica hérita
des cultures de chavín-cupisnique les techniques du moulage, la forme des récipients et le répertoire iconographique. Son évolution est articulée en cinq périodes, que
la forme des récipients et le style de peinture permettent
d'identifier.

Cette figure d'homme assis est caractéristique, par sa
surface non peinte et brillante, des premières céramiques
mochicas inspirées de la poterie chavín. Les petites inden-
tations qui en animent les surfaces ont aussi leur origine
dans les techniques de la céramique chavín. Le goulot-
étrier court, à bord net, permet de classer le récipient dans
les styles mochicas anciens II et I, soit vers 200 apr. J.-C.
L'homme assis porte une jarre en céramique sur l'épaule,
il a une ceinture large autour de la taille et des boucles
rondes aux lobes des oreilles. De toute l'Amérique du Sud
ancienne, c'est chez les Mochicas que la représentation de
l'être humain occupe la plus grande place.   EMM

155
Récipient anthropomorphe, vers 450-550

Pérou, mochica
Céramique et pigment
H. 20,6 × long. 12,5 × L. 18,3 cm
Dallas Museum of Art, collection Nora et John Wise,
legs de Nora Wise, 1983.W.120

Ce vase à goulot-étrier représente un homme assis, vêtu
d'une grande tunique, ornementée aux ourlets et aux poi-
gnets, et d'une longue robe blanche à capuchon. Sur la
tête, qu'il lève comme s'il écoutait quelqu'un lui parler, il
porte une coiffe en tissu. Une bourse est attachée à son
poignet gauche et, dans la main droite, il tient une gourde
dans laquelle se trouve un bâtonnet. La bourse contient
des feuilles de coca et la gourde de la chaux en poudre. Les
habitants des Andes consomment encore aujourd'hui la
feuille de coca. Pour que la feuille libère ses alcaloïdes sti-
mulants, il faut la mâcher avec un peu de chaux. Les
Mochicas cultivaient une variété spéciale de calebasses
pour fabriquer ces récipients à chaux, encore en usage.

EMM

156
Récipient anthropomorphe, v^e-vi^e siècle

Pérou, mochica
Céramique et pigment
H. 21 cm
The Minneapolis Institute of Arts, fonds Ethel Morrison Van Derlip,
44.3.43

157
Récipient anthropomorphe, vers 450-550

Pérou, mochica
Céramique et pigment
H. 27,3 × long. 17,8 × L. 16 cm
Dallas Museum of Art, collection Nora et John Wise,
legs de Nora Wise, 1989.W.119

En céramique, les Mochicas créèrent un décor peint et sculpté le plus élaboré de tout le Pérou, voire de toute l'Amérique ancienne. Leurs céramistes ont représenté une diversité d'êtres humains portant des costumes recherchés, ainsi que des animaux, des plantes, des paysages et des scènes narratives. La vie quotidienne est montrée avec une grande précision. On suppose aujourd'hui que cet art n'est pas profane, mais lié aux cérémonies religieuses qui occupaient une part importante de la vie rituelle et personnelle.

L'un de ces grands récipients anthropomorphes montre un notable mochica en tenue rituelle. Il porte une robe avec un grand col blanc, une ceinture en tissu ornée de grecques, et une culotte blanche. Il a la tête couverte d'une coiffure recherchée, ornée de deux disques sur lesquels sont peints des symboles peut-être solaires. Comme la plupart des hommes mochicas de haut rang, il porte des boutons d'oreille et des bracelets. Les traits du visage sont ceux que l'on rencontre encore aujourd'hui chez les Péruviens d'origine : pommettes saillantes, nez fin et proéminent et bouche large, bien formée. Seuls les yeux, agrandis et fixes, sont exagerés et donnent au sujet un air guindé et affecté.

L'autre jarre représente un homme debout vêtu d'une jupe à rayures et d'une longue robe blanche qui prolonge la coiffure ; il porte aussi un collier à deux rangs, des bracelets et de grands boutons d'oreille. Il tient dans les mains une gourde et une plante, sans doute nécessaires au rituel religieux auquel il participe. La figure debout est une des principales formes iconographiques de la sculpture mochica. Ces deux œuvres, d'artistes différents, représentent par les détails de physionomie identiques le type ethnique mochica.

EMM

Cat. 158

Cat. 159

158

Vase-portrait, vers 450-550

Pérou, mochica
Céramique et pigment
H. 24,8 × long. 16,5 × L. 20 cm
Dallas Museum of Art, fonds général d'acquisitions, 1971.60

159

Vase-portrait, vers 450-550

Pérou, mochica
Céramique et pigment
H. 27,8 × long. 15,6 × L. 15,4 cm
Dallas Museum of Art, collection Nora et John Wise,
legs de Nora Wise, 1989.W.114

160

Vase-portrait, VIᵉ siècle

Pérou, mochica
Céramique et pigment
H. 16,5 × long. 10 × L. 10,2 cm
The Minneapolis Institute of Arts, fonds William Hood Dunwoody,
43.2.22

Les artistes mochicas se sont révélés vraiment inventifs, en créant la seule vraie tradition de portrait de toute l'Amérique ancienne. Si les potiers utilisaient des symboles iconographiques qui rendaient un sujet identifiable par ses contemporains, ils faisaient aussi preuve d'un savoir-faire et d'une sensibilité artistique qui leur permettaient de saisir la physionomie particulière de leurs modèles. Ces pièces étaient des portraits commémoratifs de personnages importants, que l'on déposait dans leur tombe.

La plupart des effigies mochicas sont sur le modèle de la jarre à goulot-étrier, où la tête et le cou forment tout le corps du récipient. Une attention toute spéciale est portée à la forme du visage et aux traits individuels. L'un des trois portraits, dans le meilleur style de portrait mochica, rend à la fois les traits physiques et la personnalité de l'individu (cat. 158). L'homme présente le même motif de peintures faciales que la première effigie, mais il porte une cicatrice à la lèvre supérieure. Ses longs cheveux raides descendent sur le côté du visage. Sur sa coiffure est peint un poisson anthropomorphe, sans doute une bonite (sorte de thon). Le deuxième vase est celui d'un homme aux joues pleines et aux sourcils froncés, d'où son expression préoccupée (cat. 159). Sur les côtés, le visage est peint en rouge sombre ; la coiffure en tissu, à grand rabat sur le cou, est nouée sous le menton, tandis que le devant est orné de deux rangs de triangles, représentant peut-être des montagnes, et d'un serpent au corps sinueux. Le troisième vase représente un homme portant un bonnet uni attaché sous le menton (cat. 160). Ses sourcils froncés le font paraître soucieux et concentré. Trois cicatrices bien visibles rappellent des blessures reçues au combat. Ces sculptures sont de véritables portraits qui conservent l'apparence physique de trois Mochicas. Ils attestent le respect pour l'individu manifesté par cette culture.

EMM

Cat. 160

161

Gobelet, 900-1100

Pérou, sicán
Or
H. 13,7 × diam. 10,2 cm
Dallas Museum of Art, collection Nora et John Wise, don de
M. et Mme Jake L. Hamon, de la famille Eugene McDermott,
de M. et Mme Algur H. Meadows et de la Fondation Meadows,
et de M. et Mme John D. Murchison, 1976.W.546

162

Gobelet, 900-1100

Pérou, sicán
Or
H. 14,9 × diam. 11,4 cm
Dallas Museum of Art, collection Nora et John Wise, don de
M. et Mme Jake L. Hamon, de la famille Eugene McDermott,
de M. et Mme Algur H. Meadows et de la Fondation Meadows, et
de M. et Mme John D. Murchison, 1976.W.563

163

Gobelet, 900-1100

Pérou, sicán
Or
H. 18,2 × diam. 10,8 cm
Dallas Museum of Art, collection Nora et John Wise, don de
M. et Mme Jake L. Hamon, de la famille Eugene McDermott,
de M. et Mme Algur H. Meadows et de la Fondation Meadows,
et de M. et Mme John D. Murchison, 1976.W.558

Les Mochicas, qui mirent au point des techniques métallurgiques perfectionnées, excellaient dans la fonte et le travail de l'or, de l'argent, du cuivre et de leurs alliages. Leurs
artisans étaient des experts de la fonte à cire perdue et de
l'emploi du métal en feuille pour la production d'objets
figuratifs. Ils combinaient différentes techniques de marte-
lage, de coupe, de gravure en creux et de repoussé. La plupart des objets métalliques, ustensiles religieux ou
ornements personnels, étaient de petite taille. Les Mochicas employaient aussi divers alliages d'or et de cuivre appelés *tumbaga,* qui recevaient un traitement particulier
consistant à laisser une fine couche d'or pur en surface.
La culture sicán, qui succéda immédiatement à celle des
Mochicas sur la côte nord du Pérou, adopta la plupart de
ces techniques. Ces trois gobelets faisaient partie d'un
ensemble découvert dans la tombe d'un riche dignitaire de
la hiérarchie royale ou religieuse. Ils sont en feuille d'or
martelée, découpée, façonnée et à joints soudés. L'un des
gobelets représente un homme debout, en costume cérémoniel recherché, portant une grande coiffure à trois rangs
de disques d'or. Dans chaque main, il tient un bâton orné
d'un symbole solaire circulaire, d'une demi-lune et d'un
rang de disques d'or (cat. 161). Il s'agit peut-être d'un
prêtre revêtu de ses ornements pour un culte en l'honneur
du Soleil, un des éléments majeurs du panthéon mochica ou
sicán. Le deuxième gobelet, en repoussé, est orné de deux
rangs de grenouilles (cat. 162). Le dernier, de la même technique, montre deux rangs d'oiseaux stylisés et de trophées
de têtes humaines de profil (cat. 163). **EMM**

164

Jarre, IVe siècle

Pérou, mochica
Céramique et pigment
H. 25 × long. 11.2 × L.16 cm
The Minneapolis Institute of Arts, fonds William Hood Dunwoody,
43.2.25

La culture mochica, essentiellement agricole, avait développé l'usage des canaux d'irrigation et des techniques hydrauliques. Certaines cérémonies religieuses étaient aussi célébrées pour assurer le succès des récoltes. Cette jarre présente en bas-relief un personnage vêtu d'une tunique à motifs avec col large, typique du vêtement masculin mochica. Il porte une coiffure blanche attachée sous le menton, comportant deux grandes formes dressées sur le devant. Il présente les produits de la terre : dans une main, une tige de maïs avec ses épis, dans l'autre, trois tubercules de manioc. Les trois grands disques blancs, au-dessus des plantes, pourraient faire allusion aux configurations astronomiques coïncidant avec l'époque des semailles ou de la récolte. Le personnage se tient debout sur un rebord étroit faisant saillie sur le côté de la poterie, laquelle représente une montagne à trois sommets. Les montagnes, considérées par les Mochicas comme des sites sacrés, sont fréquemment représentées sur les céramiques sculptées.

EMM

165

Récipient anthropomorphe, VIe siècle

Pérou, mochica
Céramique et pigment
H. 21,6 cm
The Minneapolis Institute of Arts, fonds William Hood Dunwoody,
43.2.14

Ce récipient représente l'image anthropomorphisée d'un grain de haricot. Celui-ci était une des cultures principales des Mochicas et une source importante de protéines. Le personnage à la tête énorme est assis, les genoux contre la poitrine. Le capuchon de sa robe le recouvre comme une cosse de haricot, allusion métaphorique à la force spirituelle que dégage l'âme vivante de cet organisme qui vit et croît. C'est l'un des nombreux exemples de l'art mochica, de plante ou d'animal dotés d'attributs humains, expression des liens reliant l'homme et les autres éléments naturels.

EMM

166

Jarre à goulot-étrier, vers 500

Pérou, mochica
Céramique et pigment
H. 29,3 × diam. 14,3 cm
Virginia Museum of Fine Arts, don de M. and Mme. Sandford
G. Etherington, 82.193

Les Mochicas, comme les autres peuples sud-américains n'ayant pas inventé d'écriture, mirent au point d'autres moyens d'enregistrer et de transmettre les informations. Un grand nombre de céramiques représentent des guerriers en armes, qui courent, tenant à la main un sac en tissu. Ce sont des messagers utilisés par les soldats et le gouvernement royal pour porter les nouvelles d'un point du territoire à un autre. Le support de ces messages était de gros haricots secs, couverts de signes mnémotechniques symbolisant des chiffres et des récits oraux. Dans de nombreux spécimens comparables à cette jarre, le messager et le haricot décoré ne font plus qu'un pour former des « guerriers-haricots » (le haricot constitue le tronc des guerriers, mais le visage est humain), et courent sur trois rangs autour du récipient. Ils portent un casque de guerre, un bouclier rond ou carré et une massue. L'anse et le goulot de cette jarre sont ornés de haricots. **EMM**

167

Jarre à goulot-étrier, v^e-vi^e siècle

Pérou, mochica
Céramique et pigment
H. 26 cm
The Minneapolis Institute of Arts, fonds William Hood Dunwoody, 44.41.1

Cette poterie représente un guerrier messager à tête d'oiseau, qui court en tenant à la main le sac qui contient des haricots porteurs d'informations à transmettre d'une ville ou d'une garnison à l'autre. Le messager porte la coiffure élaborée des guerriers mochicas et court dans un grand déploiement de plumes qui flottent derrière lui. Les communications étaient essentielles pour ces cultures en pleine expansion, et la fréquence de la représentation du thème atteste son importance dans la vie publique. **EMM**

168

Jarre à goulot-étrier, Vᵉ-VIᵉ siècle

Pérou, mochica
Céramique et pigment
H. 24,1 cm
The Minneapolis Institute of Arts, fonds Ethel Morrison Van Derlip,
44.3.64

De nombreux personnages de la mythologie mochica sont représentés sur les céramiques. Certains associent des caractères empruntés à plusieurs animaux. Cette créature effrayante a une tête de mammifère terrestre (comme le renard), un corps de poisson (comme le bonite), et des membres humains. Elle tient en main un couteau cérémoniel en cuivre et nage au milieu de poissons et d'autres formes. Le motif en huit à la surface du monstre symbolise les taches du jaguar, qui prête ainsi sa puissance à une figure inhabituelle de la chasse et de l'agressivité.

EMM

169

Récipient zoomorphe, 200-600

Pérou, mochica
Céramique et pigment
H. 21 × long. 21,6 cm
The Minneapolis Institute of Arts, fonds William Hood Dunwoody,
44.41.3

Les Mochicas utilisaient le lama domestiqué comme bête de somme pour transporter tous les produits qui constituaient le commerce entre tous les peuples du royaume. Grâce à ces caravanes les populations dispersées de la région andine pouvaient communiquer entre elles. L'animal représenté ici porte sur le dos deux grands sacs en laine tissée et, sur la tête et le cou, un licol en poil tressé. Le motif spiralé sur son front évoque la touffe de longs poils qui couvre habituellement sa tête. Les lamas, qui sont encore la principale bête de somme des montagnes andines, portent toujours leurs charges dans les mêmes sacs grossiers en laine.

EMM

170

Récipient zoomorphe, 200-300 environ

Pérou, mochica
Céramique et pigment
H. 17,5 × long. 18,7 × L. 13,3 cm
Dallas Museum of Art, collection Nora et John Wise, don de
M. et Mme Jake L. Hamon, de la famille Eugene McDermott,
de M. et Mme Algur H. Meadows et de la Fondation Meadows,
et de M. et Mme John D. Murchison, 1976.W.105

Les céramistes mochicas ont minutieusement observé et
représenté la faune et la flore dans sa diversité. La grenouille apparaît souvent dans la céramique alors qu'on ne
lui connaît aucun rôle particulier dans la mythologie ou au
cours des cérémonies mochicas. Celle-ci se distingue par
une série de taches blanches sur son corps rouge. En Amérique, les grenouilles tachetées possèdent souvent des
principes actifs utilisés par les chamans guérisseurs, en
quête de visions, mais ce sont des substances extrêmement
dangereuses, parfois utilisées comme poison.   **EMM**

171

Récipient zoomorphe, IIIe-VIe siècle

Pérou, mochica
Céramique et pigment
H. 19,7 cm
The Minneapolis Institute of Arts, fonds William Hood Dunwoody,
44.41.8

Les chouettes sont souvent présentes sur la céramique
mochica. Des études ethnographiques récentes ont montré qu'elles sont toujours associées à des rites chamaniques
de guérison dans les populations andines actuelles. On
attribue à la chouette une vue perçante et, comme elle
chasse la nuit, on lui prête des pouvoirs visionnaires. Représentant la sagesse, on la croit détentrice de nombreux
secrets de magie. Elle est aussi associée aux cimetières et
aux esprits des morts, comme dans de nombreuses autres
civilisations. Elle est ici représentée avec un grand corps
rouge hérissé, ressemblant à un paysage de collines. La
face est très réaliste, avec ses yeux, ses « oreilles », son bec
et son collier de plumes.   **EMM**

172

Récipient zoomorphe, Vᵉ-VIᵉ siècle

Pérou, mochica
Céramique et pigment
H. 20,3 × diam. 21,6 cm
The Minneapolis Institute of Arts, fonds William Hood Dunwoody, 44.41.2

Les Mochicas consommaient les mollusques et les crustacés qu'ils ramassaient à l'embouchure des fleuves côtiers. Le crabe et la langouste sont comme ici, les motifs du décor. La langouste rouge, sur cette jarre à goulot-étrier, révèle en détail la constitution de sa carapace, tandis que la tête est traitée de manière stylisée. L'animal fut aussi représenté à partir de feuilles de cuivre.

EMM

173

Double récipient anthropomorphe, 1400-1538

Pérou, inca
Céramique
H. 17 × long. 8,9 × L. 17,5 cm
Virginia Museum of Fine Arts, don de M. et Mme Sandford G. Etherington, 84.106

Les artistes incas adoptèrent bon nombre de traditions céramiques ayant appartenues à d'autres peuples, tels les Chimús, qui vivaient sur les territoires soumis par l'Empire inca. Ce récipient à double compartiment transforme le modèle familier de la poterie à anse-pont en une sculpture représentant deux hommes portant une tunique et un chapeau cylindrique. L'anse qui relie les deux personnages est ajourée. La couleur noir foncé de la finition qui recouvre la céramique a été obtenue par cuisson en atmosphère oxydo-réductrice.

EMM

174
Aryballe, XVᵉ siècle

Pérou, inca
Céramique et pigments
H. 34,3 cm
The Minneapolis Institute of Arts, fonds William Hood Dunwoody,
44.41.20

Cette jarre à provisions, dite « aryballe » en raison de son
analogie avec des vases grecs antiques, est une poterie
caractéristique inca, fabriquée en différentes tailles mais
toujours selon la même forme et les mêmes proportions.
Elle se caractérise par une panse large et arrondie qui s'in-
curve en se resserrant vers le haut autour du col et, qui se
termine par un bord évasé. Le fond pointu assure sa stabi-
lité sur un sol sablonneux. L'aryballe est munie de deux
grandes anses disposées au bas de la panse et deux oreilles
percées sur le bord de l'ouverture, qui permettaient de la
fermer avec un couvercle. Une tête d'animal abstraite, en
relief, marque le haut de l'épaule de la jarre. Le décor est
constitué de motifs géométriques à base de losanges, de
rayures et de petits triangles.   **EMM**

175
Kero, **1300-1550**

Pérou, inca
Bois et pigments
H. 14,5 × diam. 13 cm
The Minneapolis Institute of Arts, don de Dolly Fiterman, 98.163.2

176
Kero, **vers 1470-1560**

Pérou, inca
Bois et pigments
H. 19,4 × diam. 16,2 cm
The Minneapolis Institute of Arts, fonds Ethel Morrison Van Derlip,
93.47

177
Kero, **vers 1534-1700**

Pérou, inca
Bois et pigments
H. 18,4 x diam. 14,4 cm
The Cleveland Museum of Art, don de John Wise, 1946.223

Pour leurs fêtes, les nobles incas préféraient utiliser de
grands gobelets en bois à bord évasé (*kero*), dont la forme
imite celle des coupes en céramique, que l'on trouvait dans
certaines cultures andines antérieures. Les parois sont
épaisses, quoique admirablement modelées et finies, de
sorte qu'on les tient bien en main. Les motifs sont d'abord
découpés dans la surface du bois avant d'être recouverts
de plusieurs couches de pigments épais, comme une
laque, aux couleurs et aux tons variés. La surface du *kero*
comporte plusieurs registres de décoration, où un même

Cat. 175

motif se répète tout autour du récipient. Ici (cat. 175), sur
l'un des *keros,* on voit un homme porter un grand sac,
jouer de la flûte tout en conduisant un lama chargé de
grands sacs attachés sur son dos. Une femme vêtue d'une
longue robe, transportant une charge sur le dos, se trouve
derrière le lama. Des plantes, des oiseaux et d'autres détails
du paysage sont intégrés dans la scène. En dessous, on voit
une bande étroite de points et, sous celle-ci, une bande
plus large qui représente une plante stylisée.

Un autre *kero* représente sept guerriers incas et deux
Espagnols marchant au pas dans un paysage symbolique
de plantes, de fleurs et d'oiseaux (cat. 176). Les soldats
portent des ponchos de laine de couleur à motifs divers et
de grandes coiffures couronnées de plumes d'oiseaux ; ils
tiennent en main des arcs et des massues. Les Espagnols
portent des chapeaux de style européen et se distinguent
par leur habillement. L'un d'eux a la peau blanche et
l'autre la peau noire, allusion à la présence d'Africains dans
les forces espagnoles. Sur la partie inférieure se succèdent
une première bande de motifs géométriques et une
seconde représentant des fleurs, des fruits ou des glands
abstraits. Sur le troisième *kero,* le registre supérieur représente une procession de guerriers incas vêtus de tuniques
et de casques, et armés de lances et de boucliers (cat. 177).
Celui au centre est orné de motifs géométriques et bota-
niques et celui du bas montre une nuée d'insectes volants
et rampants.   **EMM**

Cat. 176

Cat. 179

179

Tissu à motif de pélican en diagonale, XIᵉ-XVᵉ siècle

Pérou, chimú
Coton
Long. 64,2 × 33,7 cm
The Minneapolis Institute of Arts, don de M. Austin J. Baillon,
75.82.7

180

Pagne, avant 1500

Pérou
Coton
Long. 81,3 × L. 82,6 cm
The Minneapolis Institute of Arts, fonds John R. Van Derlip,
77.77.132

Tout au long de l'histoire des Andes, les tissus ont été un bien précieux, signe de respectabilité. Ils servaient pratiquement de monnaie et permettaient, par exemple, d'acquitter l'impôt. Sur les poteries, ils habillent des personnages importants. Les anciens Péruviens avaient même pris l'habitude de se peindre le visage pour être en harmonie avec les motifs de leurs tissus, comme on peut le voir sur certaines jarres-portraits et sur les poteries anthropomorphes, notamment chez les Mochicas. Un autre usage essentiel des textiles était la confection du *quipu*, faisceau de cordelettes tressées et nouées de couleurs variées, servant aux communications à longue distance. En l'absence d'écriture, les messagers mémorisaient une infor-

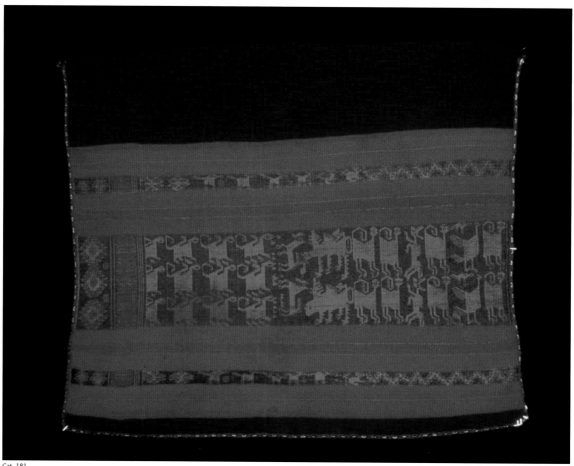

Cat. 181

mation complexe associée à un procédé mnémotechnique aux longueurs et nœuds différents des cordelettes.

Sur la côte ouest de l'Amérique du Sud, la fabrication des tissus a commencé il y a des milliers d'années, bien avant toute autre forme d'art. Deux sortes de métiers étaient utilisés : le métier à ceinture, où une extrémité de la chaîne est attachée à un point fixe et l'autre autour du corps du tisserand, et le métier à piquets, où la tension du tissu est assurée en attachant la chaîne et la trame à des piquets plantés dans le sol. Les fibres textiles étaient fournies par le coton, indigène, et le poil de deux camélidés, le lama et l'alpaga, utilisés comme bêtes de somme (les seules des Amériques) et de boucherie. Leur élevage exige beaucoup de soins, même s'ils ne produisent pas une grande quantité de laine. Celle-ci n'est convenablement filée qu'au terme d'étapes multiples faisant appel à de nombreuses personnes, techniquement compétentes. Cependant, la fibre, qui absorbe bien la teinture, peut donner des fils de teintes vives, là aussi au terme d'un processus de plusieurs étapes confié, on le suppose, à des teinturiers.

Le fil teint servait à tisser des motifs d'une grande complexité où l'on retrouve les éléments géométriques et les motifs zoomorphes caractéristiques des cultures andines (la figure humaine est moins fréquente). Parmi les animaux, les oiseaux – représentés de manière soit réaliste, soit plus abstraite comme sur le tissu à motif de pélican en diagonale (cat. 179) – occupent une place très significative, qui reflète leur importance dans le panthéon péruvien. Grâce au climat sec de la plupart des montagnes andines, de nombreux tissus ont été naturellement conservés pendant des centaines d'années. En les comparant à la production contemporaine, on constate qu'un grand nombre de motifs se sont transmis et sont toujours à l'honneur chez les tisserands péruviens modernes, notamment les oiseaux. Malgré les ruptures et les bouleversements de l'histoire, le tissage, forme d'art des plus anciennes, reste une tradition péruvienne essentielle et entretient des liens directs avec son passé le plus lointain.

MEH

Demi-*aksu* (jupe cérémonielle), xxe siècle

Bolivie, quechua
Laine
Long. 62,9 × L. 71,8 cm
The Minneapolis Institute of Arts, fonds Ethel Morrison Van Derlip,
89.116.6

Llic'lla **(couverture cérémonielle), xxe siècle**

Bolivie, quechua
Laine
Long. 110,5 × L. 92,1 cm
The Minneapolis Institute of Arts, fonds Ethel Morrison Van Derlip,
89.116.10

AMÉRIQUE DU NORD

Les Woodlands de l'est des États-Unis

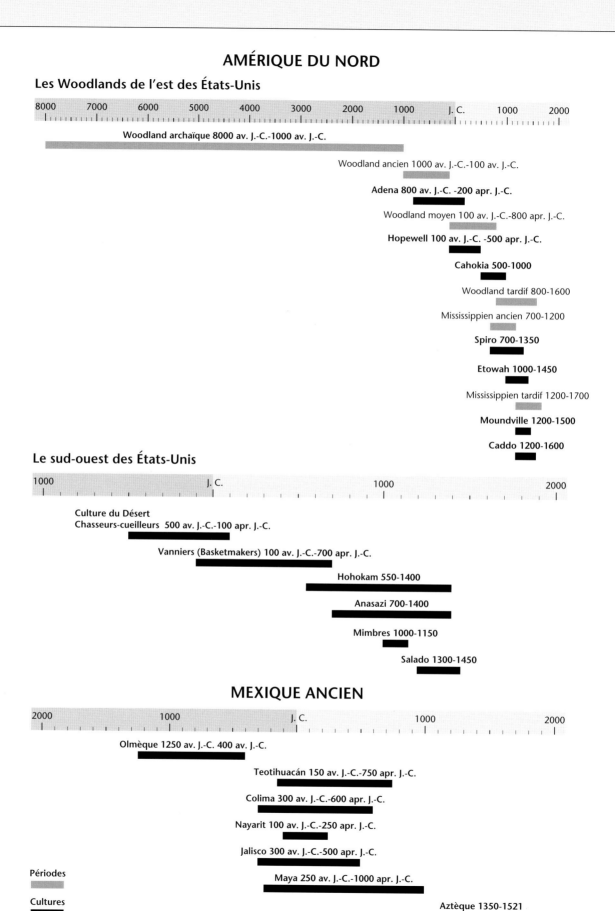

8000 7000 6000 5000 4000 3000 2000 1000 J. C. 1000 2000

Woodland archaïque 8000 av. J.-C.-1000 av. J.-C.

Woodland ancien 1000 av. J.-C.-100 av. J.-C.

Adena 800 av. J.-C. -200 apr. J.-C.

Woodland moyen 100 av. J.-C.-800 apr. J.-C.

Hopewell 100 av. J.-C. -500 apr. J.-C.

Cahokia 500-1000

Woodland tardif 800-1600

Mississippien ancien 700-1200

Spiro 700-1350

Etowah 1000-1450

Mississippien tardif 1200-1700

Moundville 1200-1500

Caddo 1200-1600

Le sud-ouest des États-Unis

1000 J. C. 1000 2000

Culture du Désert
Chasseurs-cueilleurs 500 av. J.-C.-100 apr. J.-C.

Vanniers (Basketmakers) 100 av. J.-C.-700 apr. J.-C.

Hohokam 550-1400

Anasazi 700-1400

Mimbres 1000-1150

Salado 1300-1450

MEXIQUE ANCIEN

2000 1000 J. C. 1000 2000

Olmèque 1250 av. J.-C. 400 av. J.-C.

Teotihuacán 150 av. J.-C.-750 apr. J.-C.

Colima 300 av. J.-C.-600 apr. J.-C.

Nayarit 100 av. J.-C.-250 apr. J.-C.

Jalisco 300 av. J.-C.-500 apr. J.-C.

Périodes

Maya 250 av. J.-C.-1000 apr. J.-C.

Cultures

Aztèque 1350-1521

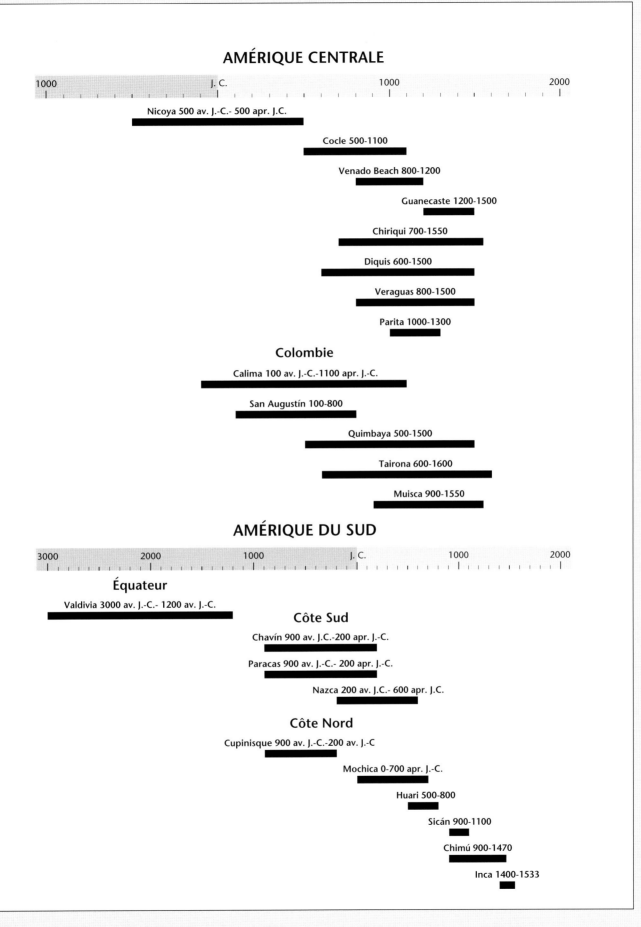

AMÉRIQUE CENTRALE

1000   J. C.   1000   2000

Nicoya 500 av. J.-C.- 500 apr. J.C.

Cocle 500-1100

Venado Beach 800-1200

Guanecaste 1200-1500

Chiriqui 700-1550

Diquis 600-1500

Veraguas 800-1500

Parita 1000-1300

Colombie

Calima 100 av. J.-C.-1100 apr. J.-C.

San Augustín 100-800

Quimbaya 500-1500

Tairona 600-1600

Muisca 900-1550

AMÉRIQUE DU SUD

3000   2000   1000   J. C.   1000   2000

Équateur

Valdivia 3000 av. J.-C.- 1200 av. J.-C.

Côte Sud

Chavín 900 av. J.C.-200 apr. J.-C.

Paracas 900 av. J.-C.- 200 apr. J.-C.

Nazca 200 av. J.C.- 600 apr. J.C.

Côte Nord

Cupinisque 900 av. J.-C.-200 av. J.-C

Mochica 0-700 apr. J.-C.

Huari 500-800

Sicán 900-1100

Chimú 900-1470

Inca 1400-1533

Bibliographie sélective

Abel-Vidor, Suzanne, Ronald L. Bishop, Warwick Bray, Elizabeth Kennedy Easby, Luis Ferrero A., Oscar Fonseca Zamora, Héctor Gamboa Paniagua, Luis Diego Gómez Pignataro, Mark M. Graham, Frederick W. Lange, Michael J. Snarskis et Lambertus van Zelst, *Between Continents/Between Seas : Pre-Columbian Art of Costa Rica,* New York, Harry N. Abrams, Inc., 1981.

Ardren, Traci, « The Chocholá Ceramic Style of Northern Yucatan : An Iconographic and Archaeological Study », *Eighth Palenque Round Table, 1993,* San Francisco, The Pre-Columbian Art Research Institute, 1996, 237-245.

Benson, Elizabeth P. et Beatriz de la Fuente (sous la dir. de), *Olmec Art of Ancient Mexico,* New York, Harry N. Abrams, Inc., 1996.

Berrin, Kathleen (sous la dir. de), *Teotihuacan : Art from the City of the Gods,* Londres, Thames and Hudson, Ltd., 1993.

Brody, J. J., Catherine Scott et Steven A. LeBlanc, *Mimbres Pottery : Ancient Art of the American Southwest,* New York, Hudson Hills Press, 1983.

Brody, J. J. et Rena Swentzell, *To Touch the Past : The Painted Pottery of the Mimbres People,* New York, Hudson Hills Press, 1996.

Brown, James A., *Spiro Art and its Mortuary Contexts,* Washington D. C., Dumbarton Oaks, Harvard University, 1973.

Coe, Michael D., *Mexico : From the Olmec to the Aztecs,* Londres, Thames and Hudson, Ltd., 1994; *The Maya,* Londres, Thames and Hudson, Ltd., 1993.

Coe, Michael D., Richard A. Diehl, David A. Friedel, Peter T. Furst, F. Kent Reilly, Linda Schele, Carolyn E. Tate, Karl A. Taube, *The Olmec World : Ritual and Rulership,* Princeton, NJ, The Art Museum, Princeton University, 1996.

Columbus Museum of Art, *Body and Soul : Art from Ancient Mexico,* Columbus, OH, Columbus Museum of Art, 2001.

Donnan, Christopher B., *Moche Art and Iconography,* Los Angeles, Latin American Center Publications, University of California Los Angeles, 1976; *Moche Art of Peru,* Los Angeles, University of California, Los Angeles, 1978; *Moche Fineline Painting : Its Evolution and Its Artists,* Los Angeles, UCLA Fowler Museum of Cultural History, 1999.

Dwyer, Jane P. et Edward B., *Fire, Earth and Water : Sculpture from the Land Collection of Mesoamerican Art,* San Francisco, The Fine Arts Museum of San Francisco, 1975.

Easby, Elizabeth Kennedy, *Pre-Columbian Jade from Cost Rica,* New York, Andre Emmerich, Inc., 1968.

Fagan, Brian M., *Kingdoms of Gold, Kingdoms of Jade : The Americas Before Columbus,* Londres, Thames and Hudson, Ltd., 1991.

Fowler, Melvin L. (sous la dir. de), *Explorations into Cahokia Archaeology,* Urbana, IL, Illinois Archaeological Survey, University of Illinois, Bulletin Nr. 7, 1969.

Fundaburk, Emma Lila, et Mary D. F. Foreman, *Sun Circles and Human Hands : The Southeastern Indians Art and Industries,* Alabama, E. L. Fundaburk, 1957.

Grigault, Paul L., *The French in America, 1520-1880,* Detroit, The Detroit Institute of Arts, 1951.

Hathcock, Roy, *Ancient Indian Pottery of the Mississippian River Valley : A Pictorial Study of Prehistoric Pottery of the Mississippian Culture, 1000-1650 AD,* Camden, AR, Hurley Press, 1976.

Holsbeke, Mireille et Karel Arnaut (sous la dir. de), *Offerings for a New Life : Funerary Images from Pre-Columbian West Mexico,* Anvers, Musée ethnographique d'Anvers, 1998.

Honour, Hugh, *The New Golden Land : European Images of America from the Discoveries to the Present Time,* New York, Pantheon Books, 1975.

Jennings, Francis, *The Invasion of America : Indians, Colonialism, and the Cost of Conquest,* New York, W. W. Norton & Company, 1975.

Jennings, Jesse D. (sous la dir. de), *Ancient Native Americans,* San Francisco, W. H. Freeman & Company, 1978.

Jones, Julie (sous la dir. de), *The Art of Pre-Columbian Gold : The Jan Mitchell Collection,* Boston, Little, Brown and Company, 1985.

Kan, Michael, Clement Meighan et H. B. Nicholson, *Sculpture of Ancient West Mexico : Nayarit, Jalisco, Colima,* Albuquerque, NM, University of New Mexico Press, 1989.

King, Jaime Litvak, *Ancient Mexico : An Overview,* Albuquerque, NM, University of New Mexico Press, 1985.

Kubler, George, *The Art and Architecture of Ancient America,* Grande-Bretagne, Penguin Books, 1962.

Labbé, Armand J., *Guardians of the Life Stream : Shamans, Art and Power in Prehispanic Central Panama,* Santa Ana, CA, Bowers Museum of Cultural Art, 1995.

Lapiner, Alan, *Pre-Columbian Art of South America,* New York, Harry N. Abrams, 1976.

Lister, Robert H. et Florence C., *Anasazi Pottery,* Albuquerque, NM, Maxwell Museum of Anthropology, University of New Mexico Press, 1978.

Martin, Paul S., George I. Quimby, Donald Collier, *Indians Before Columbus : 20.000 Years of North American History Revealed by Archaeology,* Chicago, The University of Chicago Press, 1947.

Maurer, Evan M., *The Native American Heritage : A Survey of North American Indian Art,* Chicago, The Art Institute of Chicago, 1977 ; *Visions of the People : A Pictorial History of Plains Indian Life,* Minneapolis, The Minneapolis Institute of Arts, 1992.

Miller, Mary Ellen, *The Art of Mesoamerica : From Olmec to Aztec,* Londres, Thames and Hudson, Ltd., 1996 ; *Maya Art and Architecture,* Londres, Thames and Hudson, Ltd., 1999.

Mink, Claudia Gellman, *Cahokia : City of the Sun,* Collinsville, Il, Cahokia Mounds Museum Society, 1992.

Morrison, Samuel Eliot, *The European Discovery of America,* 2 vol., New York, Oxford University Press, 1974.

Moseley, Michael E., *The Incas and Their Ancestors : The Archaeology of Peru,* Londres, Thames and Hudson, 1992.

Moses, L. G., *Wild West Shows and the Images of American Indians 1883-1933,* Albuquerque, NM, University of New Mexico Press, 1996.

Oppelt, Norman T., *Guide to Prehistoric Ruins of the Southwest,* Boulder, Colorado, Pruett Publishing Company, 1989.

Parsons, Lee A., *Pre-Columbian Art : The Morton D. May and The Saint Louis Art Museum Collections,* New York, Harper and Row, Publishers, 1980.

Parsons, Lee A., John B. Carlson et Peter David Joralemon, *The Face of Ancient America : The Wally and Brenda Zollman Collection of Pre-Columbian Art,* Indianapolis, Indianapolis Museum of Art, 1988.

Pasztory, Esther, *Pre-Columbian Art,* Cambridge, Cambridge University Press, 1998.

Penney, David, *Ancient Art of the American Woodland Indians,* Washington, D. C., National Gallery of Art, 1985.

Sawyer, Alan R., *Ancient Peruvian Ceramics : The Nathan Cummings Collection,* New York, The Metropolitan Museum of Art, 1966.

Schele, Linda et Mary Ellen Miller, *The Blood of Kings : Dynasty and Ritual in Maya Art,* New York, George Braziller, Inc., 1986.

Schmidt, Peter, Mercedes de la Garza et Enrique Nalda (sous la dir. de), *Maya,* New York, Rizzoli International Publications, Inc., 1998.

Struever, Martha H., *Painted Perfection : The Pottery of Dextra Quotskuya,* Santa Fe, Wheelwright Museum of the American Indian, 2001.

Tate Carolyn E. (sous la dir. de), *Human Body, Human Spirit : A Portrait of Ancient Mexico,* Atlanta, Michael C. Carlos Museum, Emory University, 1993.

Taube, Karl, *The Albers Collection of Pre-Columbian Art,* New York, Hudson Hills Press, 1988.

Townsend, Richard F. (sous la dir. de), *The Ancient Americas : Art from Sacred Landscapes,* Chicago, Art Institute of Chicago, 1992.

Viola, Herman J. et Margolis, Carolyn, *Seeds of Change : Five Hundred Years Since Columbus,* Washington D. C., Smithsonian Institution Press, 1991.

Walthall, John A., *Moundville : An Introduction to Archaeology of a Mississippian Chiefdom,* Alabama, Alabama Museum of Natural History, University of Alabama, 1977.

Willey, Gordon R., *An Introduction to American Archaeology,* 2 vol., Englewood Cliffs, New Jersey, Prentice-Hall, Inc., 1971.

Publication du département de l'Édition
dirigé par Béatrice Foulon

Coordination éditoriale
Geneviève Rudolf

Conception et mise en page
Frédéric Célestin

Traduction de l'anglais (américain)
Gilles Courtois et Didier Pemerle

Adaptation des textes
Karin Esse

Fabrication
Isabelle Floc'h

Photogravure
par I.G.S., Angoulême

Impression et façonnage
Kapp Lahure Jombart, Évreux

Dépôt légal : juillet 2002
ISBN : 2-7118-4481-1
RMN : EK 39 4481